Ne t'endors jamais le Cœur lourd!

Données de catalogage avant publication (Canada)

Orsborn, Carol

Ne t'endors jamais le cœur lourd!

Traduction de: Solved by sunset
Comprend des références bibliographiques

1. Résolution de problème. 2. Actualisation de soi. I. Titre.

BF449.O7714 1996 153,4'3 C96-940734-3

L'ouvrage original américain a été publié par Harmony Books,
une division de Crown Publishers, Inc.,
sous le titre *Solved by Sunset*

Dépôt légal: 4e trimestre 1996
Bibliothèque nationale du Québec

ISBN 2-8904-4604-2

DISTRIBUTEURS EXCLUSIFS:

- Pour le Canada et les États-Unis:
  LES MESSAGERIES ADP*
  955, rue Amherst, Montréal
  H2L 3K4
  Tél.: (514) 523-1182
  Télécopieur: (514) 939-0406
  * Filiale de Sogides ltée

- Pour la Belgique et le Luxembourg:
  PRESSES DE BELGIQUE S.A.
  Boulevard de l'Europe 117
  B-1301 Wavre
  Tél.: (10) 41-59-66
  (10) 41-78-50
  Télécopieur: (10) 41-20-24

- Pour la Suisse:
  TRANSAT S.A.
  Route des Jeunes, 4 Ter, C.P. 125
  1211 Genève 26
  Tél.: (41-22) 342-77-40
  Télécopieur: (41-22) 343-46-46

- Pour la France et les autres pays:
  INTER FORUM
  Immeuble Paryseine, 3 Allée de la Seine,
  94854 Ivry Cedex
  Tél.: (1) 49-59-11-89/91
  Télécopieur: (1) 49-59-11-96
  Commandes: Tél.: (16) 38-32-71-00
  Télécopieur: (16) 38-32-71-28

Ne t'endors jamais le Cœur lourd!

Carol Orsborn

Le rôle utile

des problèmes

dans votre vie

Traduit de l'américain
par Marie Perron

Je dédie affectueusement ce livre à mon époux, Dan,
le meilleur compagnon de vie qu'une femme puisse avoir;

à mon fils Grant, qui, grâce à son esprit pénétrant,
comprend parfois mes idées avant moi et
mieux que je ne le fais moi-même;

à ma fille Jody: sa vivacité est telle
que j'ai souvent eu envie de jouer avec elle
plutôt que d'écrire ce livre...
mais j'en suis néanmoins venue à bout.

Avant-propos

SI LE PROBLÈME que vous désirez résoudre aujourd'hui même, avant le coucher du soleil, occupe toute votre attention, ce n'est pas sans raison. Vous vous débattez avec ce problème depuis longtemps, et peut-être en souffrez-vous. Que vous ayez ouvert ce livre est de bon augure. Cela signifie que vous voilà prêt à dire toute la vérité sur l'impasse dans laquelle vous vous trouvez, à confronter votre problème, à transformer et transcender l'attitude qui était jusque-là la vôtre. Vous voulez analyser vos ennuis sous un tout autre jour et leur apporter une fois pour toutes une solution.

Je sais que c'est possible, que vous pouvez résoudre vos problèmes, car vous vivez dans un univers ordonné qui vous seconde dans votre évolution sans y mettre de conditions, sans non plus tenir compte de l'opinion que vous avez de vous-même ou de la situation dans laquelle vous vous trouvez.

Le fait de vouloir appliquer les principes énoncés dans *Ne t'endors jamais le cœur lourd!* au dilemme qui vous occupe aujourd'hui signifie que vous voilà parvenu à une nouvelle étape de votre vie, au cours de laquelle vous évoluerez et ferez preuve de détermination. Non seulement la lumière et l'intuition pouvant mener à la résolution de votre problème vous seront-elles données, mais vous connaîtrez aussi une évolution spirituelle.

Le soutien d'une autre personne ne vous est nullement nécessaire pour mettre en pratique les méthodes proposées dans *Ne t'endors jamais le cœur lourd!* Il suffit que vous vous accordiez une journée complète de répit, une journée au cours de laquelle personne ne viendra interrompre votre lecture et les activités qui vous apporteront une solution. Selon votre situation géographique et le moment de l'année, vous pourrez entreprendre cette journée vers sept ou huit heures et en avoir terminé avant le coucher du soleil.

Vous pouvez, bien sûr, lire *Ne t'endors jamais le cœur lourd!* de la première à la dernière page, puis vous référer au guide en fin de volume quand vous aurez le loisir de consacrer une journée à la marche à suivre.

Quelle que soit la méthode employée, les moments que vous consacrerez à cette démarche doivent représenter pour vous des heures privilégiées, un havre intime. Si vous en avez les moyens, retirez-vous dans un endroit calme où il vous sera loisible d'être seul, ou joignez-vous à un groupe désireux de mettre en pratique les principes énoncés dans ce livre.

Vous n'aurez besoin de rien, que d'une plume et de papier. De temps à autre, vous pourrez aussi faire appel à d'autres ressources — musique ou instruments divinatoires (par exemple, les cartes du tarot de Rider-Waite). Un feu de foyer et une bougie pourraient aussi se révéler utiles.

Pour toute préparation mentale, vous n'avez besoin que du problème qui vous préoccupe et de la ferme volonté de le résoudre avant le coucher du soleil.

Introduction

Il y a trois ans, mon mari, Dan, a manifesté le désir de transférer toute notre petite famille de San Francisco à Nashville, déménagement qui aurait des répercussions majeures sur notre vie. Mais il n'y avait là rien de bien nouveau. Dan avait fait la même suggestion quatre ans, dix ans et quinze ans auparavant. Il nous semblait plus réaliste de rester en Californie où nous gérions une entreprise, où vivaient nos amis et nos parents, bref, où nous avions *notre vie.* Mais Nashville, avec ses promesses de boulot dans l'industrie de la musique, tirait le cœur de mon mari par la manche... et lui, le mien.

Chaque fois que cette question revenait sur le tapis, nous y réfléchissions, nous en appréciions le pour et le contre. Nous faisions des listes, nous évaluions nos chances de succès, nous en discutions avec nos amis et nous sollicitions les conseils de spécialistes. Nous faisions en sorte de trouver des moments dans notre horaire surchargé pour analyser la question, trouver des solutions de rechange, émettre des hypothèses. En d'autres termes, nous recourions encore une fois à la rationalité de l'hémisphère gauche du cerveau, comme nous l'avions toujours fait dans d'autres circonstances de notre vie: du choix d'une entreprise de réfection de la toiture à celui d'une nouvelle raison sociale pour notre compagnie. Nous avions toujours pris les choses en main en recueillant de l'information, en analysant les occasions qui se présentaient à nous, en passant à l'action. Pourtant, dès qu'il était question de Nashville, c'était l'impasse.

En vérité, Nashville n'était pas le seul de nos problèmes qui, au fil des ans, ait échappé à notre contrôle. Plusieurs dilemmes menaient grand train sous la surface de notre vie surchargée; tels d'ennuyeux intrus psychiques, ils secouaient notre rationalité comme les barreaux d'une cage, et sans être tout à fait assez forts pour en briser le cadenas, ils faisaient trop de tapage pour passer inaperçus. Certains d'entre eux, les plus anodins, étaient des ennuis quotidiens reliés à la famille, à la carrière, à l'amour, des problèmes qui occupent toujours plus d'espace que nécessaire et auxquels on accorde plus d'importance qu'ils n'en méritent. D'autres étaient plus sérieux; il s'agissait de choix que ramenaient à la surface les bouleversements qu'entraîne une vie pleinement vécue: par exemple, les décisions reliées aux grandes étapes de l'existence ou provoquées par des circonstances hors de notre contrôle. La vie est un mouvement perpétuel dont tous les déplacements entraînent des interrogations nouvelles. Si je fais ceci, marquerai-je un progrès ou un recul? Le jeu en vaut-il la chandelle? Rester? Partir? Oui? Non?

Tout cela est très bien, du moment que vous parvenez à résoudre vos problèmes en leur appliquant vos méthodes habituelles. Mais qu'advient-il lorsqu'en dépit de tous vos efforts l'incertitude, le doute et l'appréhension perdurent? Vous ne pouvez empêcher la vie de vous mettre en face de défis, de crises et de dilemmes qui requièrent des solutions. Vous savez qu'en demeurant passif vous vous laisserez porter par le courant. Mais en acceptant d'agir, vous participerez à ce changement, vous ne vous contenterez plus de le subir. La décision que vous prenez, quel que soit le chemin suivi pour y parvenir, est le véhicule qui vous porte en avant. *Ne souhaitez-vous pas trouver une solution satisfaisante et apaisante au problème avec lequel vous vous débattez en ce moment?*

Ainsi donc, il y a trois ans, nous avons recommencé à nous demander si, oui ou non, il serait préférable de nous installer au Tennessee, à la différence que, cette fois-ci, nous avions développé une toute nouvelle approche de la question, une stratégie qui faisait fi des culs-de-sac et des limbes auxquels nous ramenait invariablement, depuis dix ans, notre hémisphère gauche. Grâce à cette nouvelle méthode, nous franchirions l'obstacle dressé devant nous, nous aurions des intuitions subites, nous élargirions notre point de vue, et non seulement résoudrions-nous un dilemme auquel nous faisions face à ce moment précis, mais un dilemme dont la nature pouvait transformer notre façon de penser et notre conscience spirituelle.

Après des années et des années passées à fouiller cette grave question, nous nous savions tout à coup capables de la résoudre avant le coucher du soleil. Trois ans se sont écoulés depuis, et j'ai eu l'occasion d'enseigner cette technique à des milliers de personnes d'un bout à l'autre du pays. Un grand nombre d'entre elles m'ont fait part des résultats positifs de cette approche et des solutions favorables qu'elles ont pu apporter grâce à elle aux problèmes qui leur tenaient à cœur. Votre tour est maintenant venu d'apprendre à maîtriser cette technique.

Mais avant de vous en livrer les secrets, je dois préciser que ma méthode se fonde sur trois hypothèses — que j'énumérerai sous peu— auxquelles je vous demande d'adhérer.

Allons. Inspirez profondément et plongez dans le système de valeurs qui sous-tend *Ne t'endors jamais le cœur lourd!* Ici et là dans ce livre, je me suis laissée guider par les mots du philosophe William James, dont les travaux sur la nature humaine ont ouvert la voie à l'exploration des différents états mentaux et spirituels auxquels donnent lieu certaines révélations et expériences mystiques ou religieuses. Au début du siècle, James déclara qu'existe selon lui «un ordre invisible, et que notre salut réside dans notre aptitude à nous fondre harmonieusement à lui».

En s'adressant ainsi aux étudiants de l'université d'Édimbourg, James se référait surtout à la tradition judéo-chrétienne. Ses paroles s'appliquent néanmoins tout autant aux philosophies orientales et au mysticisme indien. Le *Yi-king*, livre de la sagesse chinoise vieux de trois mille ans dont je me suis inspirée pour la rédaction de mon dernier ouvrage, intitulé *How Would Confucius Ask for a Raise?*, enseigne aussi qu'il existe un ordre caché, le Tao, avec lequel l'être «supérieur» tend à s'aligner.

«Les circonstances naturelles de la vie obéissent toutes à la loi», dit Richard Wilhelm dans ses commentaires sur le *Yi-king*:

> En méditant sur le sens divin qui sous-tend le fonctionnement de l'univers, l'homme appelé à exercer son influence sur ses semblables peut acquérir les moyens de reproduire ce fonctionnement... Il appréhende les mystères et les lois divines de l'existence et devient, grâce à une profonde concentration, le véhicule même de ces lois.

Une très belle histoire d'origine indienne illustre bien ce qui précède. Lors d'une longue sécheresse, des villageois invitèrent chez eux un faiseur de pluie. À son arrivée, ce dernier demanda qu'on lui procure une hutte à l'orée du village. Il devrait s'adonner pendant plusieurs semaines au jeûne et à la méditation afin de se recentrer avant d'accomplir son rituel. Quelque temps après, des nuages se formèrent et la pluie tomba. Les villageois se hâtèrent à la hutte du faiseur de pluie pour le remercier. Mais le faiseur de pluie était aussi étonné qu'eux.

Il déclara que, ne se sentant pas bien dans sa peau, il s'était retiré dans la solitude afin de retrouver son équilibre et sa vitalité. Il n'avait pas encore accompli son rituel. Pourtant, par le simple fait de remettre de l'ordre dans sa vie intérieure, il avait provoqué la pluie.

Nous pouvons tous connaître une telle expérience un jour ou l'autre. Par exemple, il y a quelques semaines, je recevais un coup de fil de Ray, un petit entrepreneur d'un bourg de Géorgie, propriétaire de ce qui avait été le meilleur lavoir public en ville. Un concurrent de longue date avait offert de lui acheter son entreprise, mais à un prix dérisoire. Essuyant un refus, le concurrent ouvrit aussitôt un lavoir public plus grand et plus efficace dans les environs immédiats. Lorsque Ray me fit part de son désarroi, il était amer et déprimé. Son commerce périclitait. Il me demanda conseil, voulut savoir comment se comporter avec son adversaire.

Tandis qu'il parlait, je sentais mon estomac se nouer: je faisais viscéralement l'expérience de l'inflexibilité qui avait décentré Ray, qui l'avait éloigné de l'ordre invisible des choses. Nous avons discuté un moment, puis Ray avoua avoir toujours détesté le commerce de la buanderie et songer depuis plusieurs années à réorienter sa carrière. Mais il ne supportait pas l'idée de concéder la «victoire» à son concurrent et, en dépit de tous ses efforts, il ne parvenait pas à trouver un autre acquéreur. Je lui suggérai de se détacher mentalement et émotionnellement de son concurrent en remplaçant chaque pensée négative à son sujet par un souhait favorable et en se concentrant sur des pensées positives. Ainsi, l'énergie créatrice de Ray recommencerait à circuler autour de lui et en lui.

Nous fixâmes un rendez-vous téléphonique pour la semaine suivante. Ray m'appela au jour dit, mais pour annuler notre rendez-vous.

L'avais-je blessé en lui demandant de penser à lui au lieu de lui donner les moyens de l'emporter sur son concurrent?

Pas du tout. Ray me rassura. Lors de notre dernière conversation, sitôt qu'il eut raccroché il comprit combien il s'était éloigné de son chemin et jura d'y revenir. Le lendemain, il croisa par hasard un ami qu'il avait depuis longtemps perdu de vue et qui s'enquit de ses affaires. L'ami en question avait depuis toujours envie de gérer un lavoir public. Accepterait-il de lui vendre le sien?

Selon Abraham Maslow, le père de la psychologie humaniste, de tels «hasards» n'ont rien d'exceptionnel. Les états qui les provoquent sont des «expériences limites, des moments d'extase, d'auto-validation et d'auto-justification au cours desquels l'être prend conscience des valeurs les plus importantes de sa vie», notamment la plénitude, l'achèvement, la justice, la vitalité, l'éclat, la simplicité, la bonté, l'unicité, la facilité, l'enjouement, la vérité et l'autosuffisance.

«L'émotion qui accompagne l'extase correspond à l'émerveillement, à l'admiration, à la révérence, à l'humilité et à l'abandon que l'on éprouve face à quelque chose de grand», écrit Maslow.

Maslow est parvenu à cette conclusion en se penchant sur des sujets psychologiquement sains plutôt que malades, sur des individus parvenus à la «réalisation de leur moi». Il a découvert, entre autres choses, que les causes de notre mauvais alignement avec l'univers sont fortuites et surmontables. Il est parfaitement possible de vaincre et de transcender la dépravation, l'intransigeance et l'ignorance.

Je propose donc les trois hypothèses de travail suivantes:

Première hypothèse: L'univers est soumis à un ordre invisible.

Deuxième hypothèse: Notre salut consiste à nous ajuster harmonieusement à cet ordre invisible.

Troisième hypothèse: Les causes de notre mauvais alignement avec l'univers sont fortuites et surmontables.

En philosophie chinoise, ces trois hypothèses se retrouvent en partie dans le Tao, le principe unificateur qui ordonne le chaos, donne un sens au néant, crée l'harmonie dans la discorde. Lorsqu'elle n'est pas empêchée par des caractéristiques négatives telles que l'impatience et la cupidité, la connaissance intérieure que permet l'intuition propre à l'hémisphère droit de notre cerveau met l'individu en contact avec des vérités universelles qu'il reconnaît d'instinct. La méthode que j'ai développée vous permet de créer l'environnement *le plus propice* à l'harmonisation de votre être à l'ordre invisible de l'univers. (Vous ne pouvez rien faire de plus que créer cet environnement, car, comme vous le constaterez plus avant, vous ne pouvez pas forcer l'harmonisation de votre être à cet ordre invisible, vous ne pouvez que la subir. Heureusement, cela suffit amplement.)

Vous découvrirez dans les pages qui suivent que la plupart des recherches récentes sur le fonctionnement du cerveau, en particulier en ce qui concerne les rôles spécifiques de l'hémisphère droit et de l'hémisphère gauche, confirment les enseignements vieux de trois mille ans du *Yi-king*, les énoncés de William James au début du siècle, les tendances futures qu'ont repérées les historiens et les théologiens contemporains, et les pratiques actuelles des psychologues et des personnes en quête de spiritualité.

Cet ajustement harmonieux n'est rien de moins qu'une nouvelle perception du monde, une transformation à la fois intime et personnelle, culturelle et sociale. En guise de préparation à la démarche que je vous indiquerai sous peu, penchons-nous un moment sur les changements qui ont lieu dans notre histoire et notre société actuelles.

David Buttrick, professeur à la Divinity School de l'université Vanderbilt, déclare que «nous vivons un séisme culturel proche de l'effondrement de la civilisation gréco-romaine». Le Siècle des lumières, caractérisé par «la raison objective, le choix individuel et l'esprit d'initiative» est, de l'avis général des spécialistes contemporains, un échec; il n'a laissé dans son sillage qu'un néant intellectuel et spirituel.

Nous avons perdu l'illusion que nous avions de pouvoir dominer la nature et notre destinée grâce à nos facultés rationnelles, illusion qui se nourrissait de notre certitude que les progrès de la science du siècle dernier rendaient l'homme capable de contrôler les phénomènes naturels. En effet, grâce à la méthode scientifique, nous pouvions opposer la lumière électrique à l'obscurité, vaincre les bactéries avec des antibiotiques. Les tout débuts de la vie ont été captés sur vidéo et diffusés aux nouvelles du soir grâce à une caméra microscopique capable de filmer le spermatozoïde qui se fraie un chemin dans le ventre d'une femme; des squelettes découverts dans d'anciens glaciers représentent le chaînon manquant de l'histoire de notre espèce; des fragments de lune nous permettent de comprendre la nature du cosmos. Nous avons été tentés de nous croire les maîtres de l'univers; afin de vivre en paix avec l'inconnu, nous avons substitué à la foi religieuse les promesses de la science et du progrès.

Tout ce savoir scientifique a eu pour conséquence que nous avons accordé une importance plus grande à l'hémisphère gauche de notre cerveau, siège de la rationalité, de la langue, de la logique et de la temporalité, qu'à l'hémisphère droit, qui se spécialise dans les fonctions spirituelles, intuitives et spatiales. Nous nous sommes trop fiés à notre rationalité, nous en sommes venus à croire que nous pouvions contrôler toutes les circonstances de notre vie. Nous avons cru pouvoir résoudre tous nos problèmes en travaillant davantage, en réfléchissant mieux, en perfectionnant notre esprit logique. Lorsque quelque chose ne tourne pas rond, ce qui se produit forcément tôt ou tard, nous ne faisons que retomber dans les mêmes erreurs de comportement, ce qui nous entraîne dans un vortex de stress et d'épuisement et, par voie de conséquence, à la destruction des individus et des institutions.

Les philosophies orientales nous enseignent que l'équilibre psychique, physique et spirituel dépend de l'interaction dynamique des principes contraires: donner *et* recevoir; agir *et* se reposer; raisonner *et* avoir la foi, et ainsi de suite. Chaque individu porte en lui ces forces opposées, tout comme la société dans son ensemble. En fait, l'expression pure et simple de n'importe laquelle de ces forces peut se révéler profitable à toute entité, quelle qu'elle soit.

Avec le temps, cependant, le véritable pouvoir naît de la tension énergique qui oppose des forces contraires. Le *Yi-king* nous enseigne qu'existe en chacun de nous un point où l'action et la réceptivité, la volonté et l'abandon peuvent trouver leur équilibre. Lorsque cet équilibre est atteint, nous faisons l'expérience du pouvoir véritable. Pour illustrer ce processus, les anciens Chinois évoquaient une casserole d'eau sur un feu de bois. Si la flamme est trop basse, l'eau ne bout pas. Si la flamme est trop haute, l'eau s'évapore. Ce n'est que lorsque l'équilibre des forces est atteint que l'eau peut être de quelque utilité.

En voulant résoudre nos problèmes, nous avons laissé s'évaporer les fluides de notre hémisphère gauche. Pendant quinze ans, Dan et moi avons réagi comme suit à son désir de s'installer à Nashville: nous nous sommes penchés sur ce problème, nous avons dressé des listes, pesé le pour et le contre, discuté de la chose avec nos amis, évalué toutes les possibilités. Jusqu'à il y a trois ans, la seule approche que nous n'avions pas tentée fut de placer le problème dans un tout autre contexte, à l'abri des méthodes rationnelles et improductives, là où il deviendrait possible de court-circuiter ce qui, jusqu'alors, s'était toujours soldé par une impasse.

Dans le néant, ce transfert peut avoir lieu instantanément, sinon sociétalement, du moins dans l'intimité du soi, dans l'univers intérieur de la conscience individuelle, là où chacun est confronté à ses problèmes et où il lui est possible de parvenir à une solution. On trouve des descriptions de cette expérience intime tant dans les nouvelles recherches que dans les anciens traités sur la nature humaine. Si l'on recule dans le temps bien avant le Siècle des lumières et l'avènement du rationalisme, l'on découvre que l'histoire des religions est partout marquée par cette expérience intime de l'esprit, expérience que l'on a appelée «l'inspiration».

Dans *L'encyclopédie de la religion*, on trouve cette définition de l'inspiration: «Une influence spirituelle qui se produit spontanément et rend le sujet capable de s'adonner à des pensées, des paroles ou des actes qui transcendent les capacités humaines ordinaires.»

Archimède a connu un tel moment d'inspiration lorsque, ayant épuisé toutes les capacités de son hémisphère gauche dans une vaine tentative pour mesurer la force de la pression exercée par un fluide, il s'accorda un moment de répit en prenant un bain. En pénétrant dans sa baignoire, il s'aperçut qu'au contact de son corps le niveau de l'eau montait et que ses membres paraissaient perdre une grande partie de leur poids. Cette illumination lui procura la solution qu'il cherchait. On raconte qu'il bondit hors de l'eau et se précipita tout nu dans la rue en criant «Eurêka!» (J'ai trouvé!).

Carl Jung, triste et abattu d'avoir rompu avec son mentor, Sigmund Freud, se retira dans la maison familiale. Un jour, il s'assit par terre et se mit à jouer à des jeux d'enfant. Peu après, il transporta ces fantasmes d'enfance dans le jardin où il se mit à édifier avec des pierres les villages, les villes et les forteresses que son imagination d'enfant avait inventés. Il comprit sur-le-champ les principes fondamentaux de sa psychologie analytique.

À une époque plus récente, Anna Quindlen connut une «épiphanie» tandis qu'elle se promenait dans la campagne aux alentours de sa maison. Elle comprit soudain, après une longue période d'incertitude concernant son orientation professionnelle, que rien ne l'empêchait de quitter son poste prestigieux de journaliste et de rédactrice en chef adjointe pour la région métropolitaine au *New York Times* et de s'adonner à l'écriture romanesque. Elle renonça à New York et à la course folle, et se consacre depuis ce jour à sa carrière d'écrivain.

Il semble bien qu'un lien existe entre de telles illuminations et l'abandon de la volonté de l'individu. Lorsque l'on cesse de forcer les événements, de contrôler et de manipuler la réalité, on peut commencer à recevoir. Peu importe le nom que l'on donne à ce phénomène: inspiration, créativité, miracle. Ce qui compte, c'est que le fait de renoncer à nos processus rationnels habituels permet à des forces qui échappent à notre compréhension d'agir et de favoriser notre succès.

Le caractère chinois qui représente le Tao, soit une tête guidant un pied, illustre bien la relation entre ces deux forces antagonistes. Le pied symbolise les aptitudes rationnelles et intellectuelles associées à l'hémisphère gauche du cerveau. La tête symbolise l'intuition et la sagesse, la réceptivité de l'hémisphère droit. La présence et l'équilibre entre ces deux aspects sont essentiels au Tao. Mais il convient de noter que, pour que l'évolution ait lieu, la tête doit guider le pied; autrement dit, nous devons nous fier à notre intuition, à notre sagesse intérieure, plutôt qu'à notre rationalité ou à nos aptitudes intellectuelles.

Pendant des années, ce langage intuitif a été l'apanage des saints, des gourous et des mystiques. Heureusement, dans les années 70, psychologues et neurologues se sont penchés sérieusement sur ce phénomène. En décrivant l'activité du système nerveux sympathique, le scientifique Roland Fischer a baptisé l'extase mystique associée à ce phénomène d'illumination, «stimulation ergotrope». Nous aborderons dès le premier chapitre de cet ouvrage la contribution de la science à notre compréhension des processus de résolution des problèmes.

Le point de convergence de la science, de la psychologie et de la spiritualité est le point de départ des principes expliqués dans *Ne t'endors jamais le cœur lourd!* Cet ouvrage vous aidera à mieux comprendre les raisons qui sous-tendent vos dilemmes, quel sens donner à l'expression «résoudre un problème», et les sentiments que l'on éprouve lorsque l'on modifie radicalement sa façon d'être. En vous servant du problème qui vous préoccupe le plus en ce moment comme d'un outil de transformation, vous puiserez aux forces invisibles qui agissent en vous. Vous vous pencherez sur les aspects spirituels associés à votre vision de la réussite, vos ambitions, votre passivité et votre force, votre foi, votre soumission, votre abandon... et ainsi de suite. Cette démarche peut avoir une telle incidence sur votre vie que je vous suggère fortement d'envisager dès aujourd'hui votre dilemme comme le véhicule de votre croissance spirituelle et de la transformation complète de votre existence. La réponse que vous trouverez en cours de route sera un effet secondaire de cette métamorphose totale.

En écrivant *Ne t'endors jamais le cœur lourd!* je ne me donne pas uniquement comme objectif de vous aider à résoudre votre dilemme avant le coucher du soleil, mais aussi de vous permettre de vous ajuster harmonieusement à l'ordre invisible des choses. Donnez à cet ordre invisible le nom que vous voulez: puissance universelle, Tao, moi supérieur ou Dieu. Peu importe son nom, vous êtes un maillon de cette chaîne dont le début et la fin s'enracinent dans le mystère. Vous avez un rôle sacré à jouer à ce moment précis et en ce lieu précis: harmoniser votre être à l'énergie vitale du divin. C'est là votre état naturel, un état qui ne vous demande aucun effort dès lors que vous vous débarrassez des illusions et des appréhensions dont s'encombre votre route et que vous permettez à votre vitalité de se manifester clairement et avec détermination.

Qu'avons-nous décidé, Dan et moi? Après en avoir pesé le pour et le contre jusqu'à la nausée, nous avons convenu de prendre un jour de congé afin de mettre en pratique les principes énoncés dans ce livre. Bref, nous avons décidé de nous offrir un répit dans une petite auberge de campagne.

Nous avons roulé quelque temps sur une route particulièrement ennuyeuse. Un panneau indicateur. Une vache. Tout à coup, sans raison apparente, voilà que la réponse que nous attendions depuis quinze ans fusa de ma bouche:

«Si on essayait Nashville?»

Et si vous essayiez *Ne t'endors jamais le cœur lourd!*

Carol Orsborn

Nous avons soif d'infini
et nous nous laissons volontiers porter
par la moindre petite vague
qui pourrait nous y conduire.

Havelock Ellis

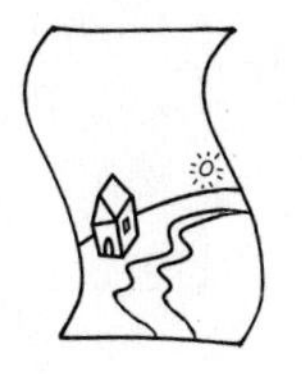

première heure

L'identification de votre objectif

1
La science des miracles

Le baron Wen Chi, un contemporain de Confucius, déclara un jour qu'il réfléchissait toujours trois fois avant d'agir. En entendant ces mots, Confucius rétorqua: «Réfléchir deux fois est bien suffisant.»

N'AIMERIEZ-VOUS PAS résoudre les problèmes qui vous assaillent aujourd'hui même, avant le coucher du soleil? Croyez-vous qu'il faille pour cela un miracle?

Accordez-vous une journée, une seule, dans votre emploi du temps chargé, et je vous parlerai des miracles.

Qu'est-ce qu'un miracle? Un miracle est un événement soudain qui ne correspond ni à vos attentes habituelles ni à votre expérience. Cela n'a rien de rationnel. Cela n'a rien de prévisible. Cela échappe à notre contrôle.

Je ne peux vous enseigner à faire des miracles, mais je suis en mesure de vous aider à créer un environnement propice aux miracles. Vous devrez, pour ce faire, renoncer à la façon dont vous abordez habituellement vos problèmes et accepter de faire un saut dans l'inconnu, de recourir à une approche tout à fait inédite. Cette approche, c'est celle que nous vous proposons dans *Ne t'endors jamais le cœur lourd!* soit un ensemble de techniques, de démarches et de moyens que vous pouvez mettre en pratique à votre rythme, quand cela vous convient et de la manière qui vous plaira. Nombreuses sont les personnes qui, en observant la marche à suivre que nous détaillons dans le présent ouvrage, ont fait d'importantes découvertes, élargi leurs horizons et trouvé des réponses, tant en ce qui a trait à leur vie intérieure qu'en ce qui concerne leurs activités quotidiennes. Pour certaines, la lumière s'est faite lorsqu'elles sont parvenues au terme des démarches que nous proposons; pour d'autres, cela s'est produit au cours de leur lecture préliminaire, avant même qu'elles n'aient entrepris les marches à suivre que nous décrirons plus avant dans ce livre. Le simple fait d'identifier et de définir un objectif, de suspendre momentanément leur volonté et de s'ouvrir à l'inspiration que leur insufflent des forces invisibles a suffi à leur procurer la réponse attendue. En d'autres termes, elles ont permis à leurs émotions, à leur psychisme et à leur esprit de s'accorder aux lois tacites de l'univers.

Il n'y a là rien de nouveau. En fait, à la fin du siècle dernier, un certain nombre de scientifiques, de psychologues, de théologiens et de philosophes ont élaboré une théorie sur ce phénomène, laquelle n'a aucunement perdu de sa validité. Selon cette théorie, le rôle de l'inspiration dans la résolution des problèmes se rapproche étrangement de celui que les hommes de science d'aujourd'hui attribuent aux systèmes neurologiques qui entrent en jeu chez l'individu lorsque celui-ci s'efforce d'apporter une solution à ses dilemmes.

En 1902, le philosophe William James écrivait, dans son ouvrage classique intitulé *The Varieties of Religious Experience*:

> L'esprit est constitué d'un réseau d'idées, chacune suscitant une part d'exaltation, assorties de tendances à l'impulsivité et à l'inhibition qui se restreignent ou se renforcent les unes les autres. Cet ensemble d'idées se modifie au fil de l'expérience par soustraction ou par addition, et les tendances qui lui sont associées s'altèrent à mesure que l'organisme avance en âge. [...] Il suffit qu'une nouvelle vision des choses, un choc émotif inattendu ou une circonstance fortuite dévoilent ce changement organique, et voilà que tout tombe en place.

Pour le professeur E. D. Starbuck, un contemporain de James, les lueurs d'inspiration et l'intuition qui débouchent sur une résolution ressemblent à l'émergence soudaine de la pointe d'un iceberg: les pensées et les idées nouvelles qui font irruption dans la conscience ont pris forme graduellement dans l'*inconscient* où elles se sont renforcées au point de pénétrer dans notre activité cérébrale quotidienne. Et nous voilà tout à coup en mesure de résoudre nos dilemmes avec perspicacité et un juste recul.

Le *Yi-king*, ou «Livre des transformations» des anciens Chinois dont s'est inspiré le sage Confucius, décrivait déjà ce phénomène, il y a trois mille ans, en termes très poétiques. Selon le *Yi-king*, l'expérience de vie est comme l'eau qui s'accumule derrière les parois d'une digue. De l'autre côté de la digue, on dirait qu'il ne se passe rien. Puis, il suffit d'une seule goutte pour que ce réservoir d'eau, enjambant la digue, se transforme en un torrent qui entreprend ensuite librement la prochaine phase de son parcours.

Cet exemple rend bien compte du nombre d'individus qui, ayant abordé leurs problèmes grâce aux moyens préconisés dans *Ne t'endors jamais le cœur lourd!* leur ont trouvé des solutions inattendues avant la fin de la journée. Étant, dans l'ensemble, des personnes ambitieuses et dynamiques dont l'emploi du temps chargé leur permet difficilement de trouver le moment d'effectuer le retour sur elles-mêmes que nous leur conseillons ici, elles étaient, d'une certaine manière, prêtes à effectuer une restructuration radicale de leur façon de penser. Tandis que leur pensée consciente se concentrait avant tout sur leurs affaires, leur subconscient accumulait patiemment des données, des expériences, des idées. Sans doute aussi ces personnes ont-elles lu des ouvrages de spiritualité et de psychologie et, à l'occasion, tenté une nouvelle approche pour trouver des solutions à leurs dilemmes sans toutefois y parvenir.

Un tel travail n'est pas vain. Il ne lui manque que la goutte grâce à laquelle l'eau accumulée franchira le mur de la digue. En consacrant une journée aux démarches décrites dans ce livre, *vous* créerez les circonstances favorables à l'émergence d'une solution.

Sachez que, ce faisant, vous n'ajouterez pas seulement une masse d'information à un ensemble de données déjà lourd, vraisemblablement un ensemble linéaire dont le fonctionnement est la conséquence directe de la quantité d'information qu'il recueille. Au contraire, la phase finale donnant lieu aux découvertes auxquelles nous faisons allusion transforme massivement et organiquement cet ensemble en une toute nouvelle composition de la réalité.

Le vocabulaire scientifique contemporain nous permet d'approfondir cette question. Dans leur ouvrage intitulé *Religion and the Individual*, les psychologues chercheurs Daniel C. Batson, Patricia Schoenrade et Larry W. Ventis expliquent que chaque individu élabore sa perception de la réalité en effectuant une différenciation et une classification de ses expériences personnelles. Les idées et les concepts secondaires ou de moindre importance sont regroupés, selon un ordre hiérarchique, autour de principes abstraits plus généraux. La logique, qui caractérise l'approche rationnelle et normale d'aborder un problème, se déploie *au sein* de cette hiérarchie telle qu'elle existe actuellement. Ces chercheurs nous disent:

> Lorsque nous sommes confrontés à un dilemme qui requiert des notions d'organisation d'une plus grande complexité conceptuelle que celles auxquelles nous sommes habitués, ce dilemme nous semble insoluble. [...] La créativité suppose une amélioration de nos facultés cognitives. [...] Une telle transformation n'obéit pas à des principes logiques. [...] Au contraire, dans la pensée créative, les structures cognitives elles-mêmes, la charpente où prend naissance la pensée réfléchie, rationnelle et logique, subissent une métamorphose.

À l'époque où Dan et moi gérions notre agence de relations publiques de San Francisco, j'ai moi-même fait l'expérience d'une telle restructuration. Après des années de collaboration fructueuse avec un de nos clients — un grand hôtel —, le directeur de la mercatique nous reprocha de manquer d'idées nouvelles. Cet épisode eut lieu au moment de la guerre entre l'Iran et l'Iraq. Les affaires périclitaient, non seulement pour notre client, mais pour toutes les entreprises de loisirs et de voyages basées à San Francisco. Ce reproche nous sembla injuste et non fondé. Dans les faits, nous étions tous victimes d'une tendance enclenchée depuis un certain temps. Il n'y avait pas que notre relation d'affaires avec ce client qui subissait les répercussions économiques de la guerre; la méfiance s'intensifiait au sein même du personnel de l'hôtel.

Nous avons tenté d'aborder ce sujet avec notre client, mais il nous a renvoyés dare-dare à notre réflexion en nous enjoignant de trouver de nouvelles idées. Nous avons réuni notre équipe tout un week-end à l'hôtel et nous nous sommes mis au travail dans le but de dénicher l'idée géniale qui sauverait la situation. Nous nous sommes penchés sur les plans de promotion de nos concurrents, nous avons analysé toutes les stratégies habituelles de mise en marché. Vers la fin de la journée, vidée et épuisée, je décidai d'aller faire une promenade dans les délicieux jardins de l'hôtel. Laissant errer mon esprit, j'admirai le paysage et cessai de penser à mon problème. Au bout d'un moment, vaguement consciente que le soleil se couchait et qu'il était temps de retourner à nos remue-méninges, je repris le chemin de l'hôtel, la mort dans l'âme.

Mais, brusquement, dans la foulée de ces émotions négatives, je compris que je m'étais concentrée toute la journée — et même depuis plusieurs semaines, voire plusieurs mois — sur le mauvais problème. Mes pensées se répartirent aussitôt autour d'un nouveau noyau. Cette restructuration mentale avait été déclenchée par un souvenir ancien, datant de l'époque où un reportage sur notre agence avait été publié dans la plus importante revue de relations publiques du pays. Cet article avait pour point de départ l'attribution qui venait de nous être faite de «l'Enclume d'argent» (Silver Anvil), le plus prestigieux prix de toute notre industrie. Je me souviens d'avoir froissé cet article et de l'avoir jeté au panier. Il n'avait aucune signification à mes yeux. Quelque chose clochait dans ma vie, mais j'aurais été bien en peine de dire quoi. Nos bureaux, notre maison, témoignaient éloquemment de notre réussite. Mais tout cela ressemblait à mes yeux à du vide, à un bâillement, à un espace béant et avide qui sapait toutes les ressources d'énergie que j'aurais dû consacrer *à moi-même.*

En hésitant sur le sentier qui me ramenait à la réunion de mon personnel, je me remémorai un mot qu'avait prononcé notre conseiller en gestion, Len Gross, plusieurs années auparavant. Len avait pris une sage retraite du monde de la publicité. Je le consultais souvent lorsque la vie me pesait. Le jour où je jetai cet article au panier, nous nous rencontrâmes. Je me plaignis de mon manque de chance. «La vie est injuste», me lamentai-je, attendant de Len les paroles inspirées qui nous avaient toujours aidés à résoudre nos problèmes, de la comptabilité aux conflits avec le personnel. J'attendis patiemment sa réaction.

Il se tourna vers moi, posa sur les miens ses yeux doux et sages et dit:

«Et alors?»

Et alors? Sur le coup, je n'ai pas compris le sens de ces deux mots. Mais ils ne m'ont jamais quittée. Et voilà que les exigences irréalistes du directeur de la mercatique de l'hôtel étaient la goutte qui faisait déborder l'eau de la digue et m'aidait à comprendre le sens des paroles de Len. Car si Len avait raison, jamais je ne pourrais satisfaire aux exigences de mon client. J'aurais beau courir dans toutes les directions à la fois et me creuser la cervelle, je n'en ferais jamais assez à ses yeux. S'il était vrai que la vie est injuste, cela signifiait que j'étais libre de me dégager de tout ce qui entravait le succès de mon entreprise. Il fallait sans doute regarder le problème sous un autre angle: au lieu de nous demander pourquoi nous ne trouvions pas l'idée géniale qui comblerait notre client, il fallait que nous nous demandions pourquoi nous nous accrochions à une situation si déprimante. Mes pensées s'agglutinèrent autour de ce nouveau noyau. Si cette découverte n'était pas celle que j'espérais, elle n'en représentait pas moins la bonne solution. Le lendemain, nous résiliâmes notre contrat avec ce client.

Je m'étais efforcée depuis toujours d'agir pour le bien de notre entreprise. Mon ancienne façon de penser me répétait que nous pourrions le mieux y parvenir en essayant le plus possible de plaire à notre clientèle. Ma nouvelle façon de penser était plus productive: «Comment alimenter notre énergie de façon à ne pas nous laisser détruire par des circonstances déraisonnables et indignes de nous?»

Les chercheurs en psychologie, tant ceux de l'ancienne école que ceux de l'école contemporaine, sont d'avis que la structure cognitive varie en importance et en qualité d'un individu à l'autre, tout comme elle se modifie chez l'individu en fonction de son évolution. Le développement, soit le chemin que parcourt l'individu dans l'épanouissement de son potentiel, est un processus au cours duquel les schèmes cognitifs les moins perfectionnés sont remplacés par des schèmes offrant une plus grande flexibilité et adaptabilité. En d'autres termes, c'est quand vous faites face à un problème, par exemple le dilemme auquel vous êtes confronté aujourd'hui, que cette évolution devient nécessaire.

Ainsi, votre dilemme — plus particulièrement celui que vous désirez résoudre aujourd'hui — vous permet d'accéder aux mécanismes limites de votre structure cognitive, soit le lieu précis de la croissance et de l'évolution. Vous vous sentez poussé à prendre une décision concernant votre profession, vos affaires ou votre vie personnelle. Vous voici soudainement confronté à une situation problématique. Vous choisissez de régler par vous-même un dilemme qui vous tarabuste depuis un certain temps. Vous savez que quelque chose ne tourne pas rond. Vous êtes placé devant un choix qui exige de votre part une décision rapide. Plus avant dans ce chapitre, vous aurez l'occasion de définir avec exactitude les circonstances qui vous donneront accès aux tréfonds de votre conscience. Mais auparavant, une mise en garde s'impose: dans notre société, le travail intérieur qui vous permettra de trouver la solution à votre problème avant le coucher du soleil exige sans doute beaucoup plus de courage et d'engagement que vous n'êtes disposé à consentir. Vous en doutez? Lisez ce qui suit.

Imaginez que vos tâches vous submergent (cela ne requiert pas un gros effort d'imagination). Vous devez respecter des échéances. Vos enfants et vos animaux de compagnie réclament votre attention. Votre tendre moitié se sent négligée. La maison est dans un état lamentable. Vous êtes éreinté, littéralement à plat. Et voilà qu'une journée s'offre à vous. *Cette journée-ci.* Qu'en faites-vous? Scénario numéro un: vous posez ce livre et travaillez d'arrache-pied du lever au coucher du soleil pour accomplir vos tâches, rendre tout le monde heureux et prendre une fois pour toutes le contrôle de la situation. Scénario numéro deux: vous vous retirez dans un endroit calme de la maison, *mieux,* à l'extérieur de la maison, là où vous pourrez vous isoler, ne pas répondre au téléphone et entrer en vous-même. Lequel de ces deux scénarios requiert le plus de courage et de détermination? Le scénario numéro un, ou le scénario numéro deux? Vous devriez vous attaquer à celui des deux scénarios qui exige de vous la plus grande somme de courage.

Je n'essaie pas de jouer de ruse. Je suppose que vous verrez d'emblée que le second scénario, celui qui vous commande de vous accorder une journée de répit, est celui qui vous donnera la réponse que vous cherchez. Sinon, vous recourrez à une solution de rechange, vous poserez un simple sparadrap sur les blessures d'une vie qui réclame sa métamorphose alors qu'il vous faut en fait restructurer le tissu même de votre existence.

Je reconnais toutefois qu'il y a des moments dans la vie où nous devons nous dire: «Je peux y arriver, je peux m'y mettre, je peux faire le nécessaire.» Si, par exemple, vous voulez obtenir la meilleure note à vos examens de fin d'année, vous seriez bien avisé de ne pas choisir la veille de l'examen pour explorer vos mécanismes cognitifs. Nous devons tous faire face à des situations difficiles qui réclament toute notre attention. L'ennui est que nous continuons de leur accorder notre attention, même quand celle-ci n'est plus requise. Nous développons l'habitude de nous frayer un chemin à travers nos appréhensions et nos émotions, nous en faisons toujours davantage, nous assumons un nombre croissant de responsabilités, nous gérons un emploi du temps toujours plus chargé. Devez-vous, cette fois-ci encore, vous emparer du gouvernail et foncer? Si vous l'ignorez sincèrement, que cette incertitude devienne le problème même que vous désirez résoudre avant le coucher du soleil. Demandez-vous si le problème auquel vous êtes confronté aujourd'hui bénéficierait davantage de vos anciennes stratégies rationnelles ou de l'approche beaucoup plus aléatoire avec laquelle je vous familiariserai sous peu. Vous connaissez sans doute déjà la réponse. Pourquoi persister dans une voie qui ne vous apporte pas les satisfactions attendues? Le moment est venu d'essayer autre chose.

Êtes-vous prêt à «perdre» votre temps, à avoir l'impression de ne pas aller au bout de vous-même, de vous défaire, de fuir vos responsabilités et de décevoir votre entourage — pendant une toute petite journée?

Vous me suivez toujours? Bien. Car maintenant que je vous ai fait part des difficultés du parcours, j'ai un message encore plus décourageant à vous transmettre.

Si vous désirez vraiment résoudre vos problèmes, vous n'avez pas le choix, vous devez observer la marche à suivre que je vous propose. Ainsi que le disait William James: «Toute vie comporte des limites supérieures et des limites inférieures.» Ce n'est que lorsque nous sommes disposés à «atteindre nos limites supérieures et occuper notre plus haut palier d'énergie vitale» que nous pouvons espérer réaliser notre plein potentiel spirituel. Trouvez ce palier, c'est-à-dire le point le plus sophistiqué de vos facultés cognitives à ce moment-ci de votre vie, et vous éprouverez un sentiment de plénitude. Contentez-vous de moins, et vous manquerez d'énergie, vous vous laisserez emporter par vos émotions, le moindre contretemps prendra des proportions démesurées. Vous devez accepter de vivre en un lieu qui favorise l'épanouissement de votre spiritualité, à défaut de quoi votre vie sera terne et privée d'espoir. Mais choisissez de vous épanouir mentalement et spirituellement, et tout deviendra possible.

2
Faites sauter vos plombs

C'est la paix et la douceur qui seront votre salut,
la quiétude et la confiance qui seront votre force.

Isaïe 30:15

VOUS ÊTES UN ÊTRE UNIQUE, complexe, dynamique. Votre vie intérieure est aussi fascinante que votre vie de tous les jours. Ceux d'entre nous qui ne se sont jamais préoccupés que de leur réussite ont souvent sacrifié le temps et l'espace nécessaires à la connaissance de leurs ressources intérieures. Ainsi qu'aimait à dire mon premier professeur de rédaction: «Vous ressemblez à un bol de soupe aux légumes: depuis que vous avez cessé de la remuer avec votre cuiller, tous les légumes sont tombés au fond.» Les marches à suivre que je partagerai avec vous aujourd'hui sont votre cuiller à soupe. Plongez-la dans le bol, et voyez ce qu'elle ramène à la surface. L'inspiration et la résistance sont toutes deux tombées au fond du bol. Supposons que vous adoriez les carottes mais que vous détestiez les oignons. Si vous refusez l'occasionnel oignon, vous ne pourrez pas savourer les carottes. Vous devez aborder la vie de la même façon que vous abordez ce bol de soupe. Vous devez accepter tout ce qu'elle vous offre.

Il conviendra d'entreprendre les démarches que je vous proposerai sans idée préconçue, dans un esprit de découverte de votre intériorité. Si vous suivez dès maintenant mes instructions, peu importe les résultats auxquels vous parviendrez aux différentes étapes du processus, vous agirez en conformité avec les exigences de votre vie. À tout moment, vous pourrez ressentir une énergie nouvelle, développer votre perspicacité, sentir que votre vie prend une nouvelle direction et faire d'étonnantes découvertes intellectuelles, spirituelles et émotionnelles. Mais vous devez savoir que, pour une bonne part, le travail que je vous demanderai exigera de vous un certain effort. Si vous éprouvez de la fatigue ou de la frustration, faites une pause. Allez faire une promenade. Prenez un bain chaud. Si vos émotions ne s'apaisent pas d'elles-mêmes, ouvrez-vous-en à un ami, un maître, un conseiller spirituel ou psychologique qui consente à vous venir en aide. S'il vous arrive d'être confronté à un obstacle, par exemple des souvenirs douloureux ou une prise de conscience de vous-même ou de votre situation, ne perdez pas de vue que pour réussir dans cette entreprise vous devez avant tout vivre pleinement.

Vivre pleinement signifie développer toutes les aptitudes que vous avez négligées par le passé. Car ce sont ces aspects sous-évalués de vous-même qui vous permettront de court-circuiter votre rationalité et d'inviter votre sagesse intérieure à émerger spontanément à la surface de votre esprit conscient. Comment cela est-il possible? *Grâce à votre capacité de relaxation.*

Penchez-vous un moment sur votre vie: vous courez et vous vous agitez sans cesse. Dans les arts martiaux, le coup qui ne se nourrit que de cette énergie volontaire est fragile, sans souplesse et facile à contrer. Observez l'acteur Bruce Lee, notez son agilité et sa souplesse. Dans les arts martiaux, le secret de la réussite consiste à ne pas déployer une force continuelle. Dans son mouvement, le bras du maître reste détendu. Ce n'est que dans les derniers centimètres de sa trajectoire que le maître y concentre toute sa force, dans un élan final d'énergie. C'est là que réside l'efficacité du coup porté: dans le contraste entre la détente et la tension.

Lorsque je m'entraînais en vue d'obtenir ma ceinture brune en karaté il y a plusieurs années, j'ai compris, en perfectionnant cette technique, que ma vie n'était que tension, force, ambition et puissance. La détente? Je ne connaissais pas. Toute dynamique était absente de ma vie. Je possédais une force et des ressources que je n'avais encore jamais utilisées. L'image du coup de poing illustre très bien ce phénomène. Imaginez quelles possibilités s'offriront à vous quand vous appliquerez à votre esprit ce principe de *détente*.

Cette opposition dynamique des arts martiaux a été développée il y a des milliers d'années. De nombreux travaux dans le domaine de la neuropsychologie ont démontré que la dynamique du cerveau diffère radicalement d'un hémisphère à l'autre. Ainsi que je le disais précédemment, les scientifiques ont émis l'hypothèse selon laquelle l'hémisphère gauche du cerveau serait le siège de la logique, du langage et de la pensée linéaire. C'est la partie du cerveau qui analyse l'information reçue. Lorsque vous vous efforcez d'apporter une solution logique à vos problèmes, vous faites appel à votre hémisphère gauche. Pendant la phase préparatoire de votre processus créateur, l'hémisphère gauche procède à des énumérations, recueille les données dont il a besoin et tente de parvenir à une solution.

Comme dans l'exemple du coup de poing, où, lorsque la force brute n'est pas assortie de détente, le coup demeure sans effet, le travail de l'hémisphère gauche ne suffit pas à résoudre un problème si n'intervient pas aussi l'hémisphère droit. Mais il existe heureusement une deuxième étape, soit l'incubation. Les chercheurs qui ont étudié et mis en application la théorie de la spécificité des hémisphères cérébraux dans le domaine de la créativité ont émis l'hypothèse suivante: lors de cette deuxième phase, l'hémisphère gauche relâche son emprise et permet à l'hémisphère droit de réorganiser ses structures cognitives. Ainsi que je le disais plus tôt, c'est précisément cette restructuration qui favorise l'intuition et ouvre le cerveau à de nouvelles perspectives. *Ne t'endors jamais le cœur lourd!* trouve son fondement dans cette phase d'incubation.

Un exemple tiré de votre propre vie illustrera l'importance de la détente dans le processus de résolution de vos problèmes. Remémorez-vous une occasion où vous avez perdu un objet de valeur. Vous vous êtes efforcé de vous rappeler où vous l'aviez mis. Vous avez étudié une à une toutes les possibilités. Vous avez repassé mentalement tous vos gestes de la journée. Ne l'aurais-je pas posé ici? Là? En fin de compte, lassé de chercher, vous avez capitulé. Vous vous êtes laissé distraire par les autres aspects de votre vie quotidienne. Puis, quelques minutes ou quelques heures plus tard, assis devant le feu de foyer ou en train de faire la vaisselle, vous avez eu une illumination: mais oui! l'objet en question était dans la poche de votre manteau!

La démarche que je vous dévoilerai dans un moment a pour objet de réduire artificiellement l'emprise que votre hémisphère gauche a sur vos pensées afin de permettre à la dynamique de la détente de faire son œuvre. Idéalement, vous devriez vous adonner pendant une heure à la méditation. La méditation nous entraîne à faire le vide en nous-même afin de dérouter l'hémisphère gauche et l'empêcher d'exercer son action tyrannique. C'est là un processus extrêmement efficace. Vous devriez vous adonner à la méditation. Vous devriez vous lever tous les matins à 4 heures comme le font les moines, vous asseoir et fixer un mur nu pendant des heures. Vous devriez vous livrer à cet exercice pendant de nombreuses années. Vous devriez développer vos aptitudes à la méditation. L'effort en vaut la peine.

Mais si, comme moi, vous n'avez toujours pas résolu le problème qui vous préoccupe aujourd'hui, car vous ne vous êtes pas entraîné à la méditation profonde, vous disposez d'une solution de rechange. La tradition zen nous procure un autre moyen pour dérouter les processus cognitifs habituels: il s'agit de travailler *de concert avec* vos processus mentaux plutôt que *contre eux*. Au lieu de lutter contre vos tendances naturelles en tentant de ne penser à rien, vous penserez à tout. Je veux que vous vous gorgiez de votre problème, que vous lui consacriez toutes vos pensées. J'ai nommé cette étape: «L'identification de votre objectif». Prenez de quoi écrire et installez-vous confortablement dans un endroit calme où vous ne serez pas interrompu pendant une dizaine de minutes. Débranchez le téléphone et fermez la porte. Dans un moment, je vous dirai ce que vous devez faire.

Démarche:
L'identification de votre objectif

Quel est votre objectif aujourd'hui? Quel problème vous préoccupe et que désirez-vous accomplir? Dans les prochaines minutes, écrivez sans arrêt, sans jamais soulever la plume du papier sinon pour tourner la page. Écrivez aussi vite que vous le pouvez. Notez tout ce qui vous passe par la tête. Efforcez-vous de ne pas orienter vos pensées, mais bien de les suivre. Par exemple, vous pourriez commencer par vous demander quelle serait la meilleure stratégie à employer pour solliciter une augmentation de salaire de votre employeur, puis passer de but en blanc à votre liste d'épicerie et terminer en exprimant les inquiétudes que vous inspire l'état de santé de votre mère.

Si vous ne savez pas quoi écrire, écrivez «je ne sais pas quoi écrire, je ne le sais toujours pas, c'est incroyable de constater que je n'ai rien à dire», ou n'importe quoi d'autre. Cela vous semble ridicule? Écrivez «c'est ridicule, je déteste cet exercice, je devrais employer mon temps à quelque chose de plus utile.» Si vraiment vous n'avez aucune inspiration ou si vous avez l'impression de ne pouvoir contrer la tyrannie de votre rationalité, écrivez de la main gauche si vous êtes droitier, de la main droite si vous êtes gaucher. Dites combien il vous est difficile d'écrire ainsi. Puis récrivez-le encore et encore. Ne corrigez pas vos fautes. Écrivez le plus vite possible, sans jamais vous arrêter, pendant dix minutes.

Cet exercice vous aidera à relier vos désirs extérieurs et conscients aux matériaux enfouis et permettra à ceux-ci d'émerger naturellement et sans effort dès l'instant où vous repousserez vos modes de pensée rationnels.

- Résistez à l'envie de prévoir où cet exercice pourrait vous conduire.

Le moment est venu de commencer.

3
Les portes d'entrée

CAROTTES? Oignons? Vous remuez et remuez votre soupe. La solution à votre problème émerge-t-elle naturellement à la surface de votre esprit conscient pendant ce temps? Cela pourrait se produire. Je me souviens d'avoir un jour dirigé un atelier au cours duquel un veuf âgé s'efforçait de vaincre l'appréhension qui l'empêchait de réaliser le rêve de sa vie: vendre sa maison, acheter un voilier et passer le reste de son existence à naviguer sur les canaux et les rivières d'Europe. Tandis qu'il s'adonnait au premier exercice, ses joues se sont baignées de larmes. Au bout de dix minutes, il s'est avancé et nous a relaté son expérience. Il avait commencé par écrire sur son désir de se rendre en Europe, mais bientôt, la compagne qui partageait sa vie depuis plusieurs années ayant surgi à son esprit, il avait poursuivi sa rédaction en disant combien elle lui manquerait s'il venait à partir. Confinée à un fauteuil roulant, elle ne pourrait l'accompagner dans sa grande aventure. Soudain, sa plume traça les mots suivants: «Je l'aime. Je veux rester auprès d'elle toujours. Je désire l'épouser. Voilà mon véritable rêve.»

Vous vouliez une carotte. Je sais. Mais avez-vous obtenu un oignon, c'est-à-dire une chose que vous préféreriez ne pas affronter dans l'immédiat mais qui vous donne accès aux mécanismes de votre structure cognitive? Vous pensiez hésiter entre l'acquisition d'une Jeep neuve ou d'une Lexus usagée, et vous vous rendez compte que l'expression qu'avait le visage de votre employeur l'autre jour, et que vous ne pensiez pas avoir remarquée, signifiait peut-être qu'il songe à vous remercier de vos services.

Pis, votre cerveau ne vous a réservé aucune surprise, il n'a pas lâché les commandes, il vous a poussé à ressasser sans répit les mêmes vieilles histoires, ou encore il vous a paralysé en refusant de permettre à votre hémisphère droit de se manifester. Si décevant que cela soit, il n'y aurait là rien d'étonnant à la lumière des préjugés que nous a inculqués la société dans laquelle nous vivons face aux errements de notre cerveau, dont la liberté lui inspire quelque méfiance et qu'elle qualifie de «fantasmagories» et de «rêves éveillés». Aux yeux de notre société actuelle, la liberté du cerveau correspond à un manque de productivité et de discipline.

Un tel dédain est compréhensible, vu la complexité et la concentration qu'exigent de nos jours nos responsabilités professionnelles, qu'il s'agisse du fonctionnement d'équipement de manufacture ou d'interventions chirurgicales délicates. Nous devons être alertes, présents, en pleine possession de nos moyens. Cependant, un élément plus important encore exerce un effet de dissuasion sur notre aptitude à nous défaire de l'emprise de la pensée consciente afin d'explorer nos intuitions et notre créativité: la morale calviniste. L'efficacité rationnelle de la méthode scientifique, qui se communique à tant de domaines de notre vie professionnelle, ajoutée à cette morale calviniste selon laquelle l'esprit céderait à ses penchants destructeurs, se détournerait de Dieu et sombrerait dans la dépravation si on ne le tenait pas en laisse, suffit à nous refroidir. Par conséquent, Calvin condamnait l'oisiveté, la rêverie et l'espièglerie. Le Siècle des lumières nous incitait à nous donner sans réserve à la maîtrise de notre environnement par le biais de la méthode scientifique.

Ces préjugés influencent aujourd'hui les milieux de travail où l'on mesure l'ambition et l'engagement aux longues heures consenties et au stress avec lequel on accepte de composer. Voilà sans doute pourquoi l'employeur qui surprend un employé à rêvasser estime que ce dernier n'a pas suffisamment de tâches à accomplir. Les employés qui quittent le bureau à une heure raisonnable, qui prennent le temps de déjeuner et qui s'allouent des vacances, sont suspects. Éteignez votre ordinateur, mettez votre téléphone cellulaire hors tension, et il se pourrait bien que l'on vous refuse la promotion que vous convoitez.

Il n'est guère étonnant qu'en réaction à de tels préjugés sociétaux vous n'ayez pas donné l'occasion à votre hémisphère droit de se développer. J'espère que le présent ouvrage vous procurera l'assurance que, loin de diminuer votre productivité et de faire de vous un être complaisant, l'équilibre auquel vous parviendrez non seulement accroîtra votre aptitude à affronter la vie quotidienne, mais rehaussera aussi votre vitalité.

Rappelez-vous que même vos résistances et vos imperfections peuvent ouvrir la porte au processus décrit dans *Ne t'endors jamais le cœur lourd!* Par exemple, vous êtes peut-être frustré en ce moment parce que vous vous êtes donné entièrement à la première démarche, en vain. Vous n'avez pas encore résolu votre problème? Vous n'avez pas fait de découverte étonnante? Le simple fait d'en prendre conscience est positif, tant il est vrai que la souffrance nous ouvre bien des portes.

Un jour que j'entrais dans une église unitarienne pour y livrer un colis à une amie depuis peu au chômage et que je me désolais pour elle, mon regard tomba sur une phrase tracée sur le tableau noir. J'y vis l'une des plus belles vérités qu'il m'ait jamais été donné de lire: «Un cœur brisé est un cœur ouvert.»

Nous avons tous besoin de tels messages. Ils servent d'antidote à notre héroïsme malencontreux des dernières décennies. La pensée positive, les mouvements pour le développement de la conscience et les ouvrages sur la croissance personnelle (qui reposent plus souvent qu'on pourrait le croire sur la morale calviniste) possèdent un côté sombre. La notion voulant qu'un jour notre bonté, notre intelligence et notre vie spirituelle seront si parfaites que nous parviendrons à transformer notre vie aussi souvent que nécessaire est une aberration. On nous a enseigné à prendre notre santé en main, on nous a donné le pouvoir de créer la maladie et de la guérir. Méditez autant que nécessaire, optez pour des aliments naturels, participez à de nombreux ateliers, «fixez-vous des objectifs clairs», écoutez votre cœur avec suffisamment de passion et tous vos rêves se réaliseront.

Quand nous adhérons à la certitude que nos actes sont responsables de ce qui nous arrive, nous devenons prisonnier de notre hémisphère gauche, *qui peut tout faire et tout provoquer*. Il en résulte une société d'ergomanes convaincus que, s'ils déploient des efforts suffisants, ils pourront métamorphoser leur vie une fois pour toutes. La tentation est la plus grande pour ceux d'entre eux à qui la réussite aura le plus souri.

Car nous avons toujours l'impression qu'en en faisant un peu plus, qu'en nous efforçant un peu mieux, nous pourrons tout obtenir.

J'affirme, pour ma part, que l'agitation, l'insécurité et la douleur constituent le meilleur accès à nos ressources intérieures, à ce lieu où gît la véritable expérience du succès auquel nous aspirons tant. Cette fois, plutôt que d'apporter un remède provisoire à vos souffrances, efforcez-vous de faire face calmement à vos complexités et à vos imperfections sans vous sentir obligé de leur dénicher des solutions superficielles.

Nombreuses sont les occasions merveilleuses qui se déploient devant vous, auxquelles vous demeurez aveugle. Pourquoi ne les voyez-vous pas? Parce que vous consacrez toute votre énergie à maintenir votre cap et à franchir les obstacles placés sur votre route afin de parvenir au but que vous vous êtes fixé. Votre ambition rétrécit votre champ de vision, elle vous met des œillères et vous fait sans répit vous enfoncer dans les mêmes ornières.

John Adams, l'un des pères fondateurs des États-Unis, a dit un jour: «L'esprit doit être libre.» Lâchez prise. Si vous n'êtes pas parvenu à lâcher prise au cours du premier exercice, faites-le maintenant. Qu'importent les résultats que vous avez obtenus? Ne posez pas sur eux de jugement de valeur. Laissez vos pensées et vos expériences jouir de cette vérité: cette première démarche, votre réaction, votre vie échappent à votre contrôle. Vous pouvez, bien entendu, avoir une certaine influence sur l'orientation de votre vie. Mais la dominez-vous?

Relâchez votre emprise. D'anciennes peurs, d'anciennes attaches, de vieilles questions existentielles (qui suis-je? que suis-je? comment me jugera-t-on? qu'adviendra-t-il de moi?) feront surface. Résoudrez-vous vraiment votre problème avant le coucher du soleil? Il vous semble que c'est une question de vie ou de mort. Vous vous demandez peut-être: *Où est passée ma joie de vivre d'antan? Est-ce que je me penche trop sur moi-même? Pourquoi suis-je si bouleversé par tout ce qui m'arrive? Suis-je en train de pénétrer dans un univers merveilleux ou suis-je en train de devenir fou? Puis-je être ainsi tiraillé par des émotions contradictoires et demeurer fonctionnel?*

Il se peut que, pendant quelque temps, vous soyez paralysé de terreur; que vous souffriez encore et encore; que vous ne sachiez plus comment vous protéger. En ouvrant votre esprit, vous permettez à la souffrance d'y entrer et d'en sortir, mais vous avez l'impression de piétiner. Vous avez l'impression d'être redevenu adolescent, de ne plus contrôler vos émotions comme c'était le cas avant d'ériger les barricades protectrices derrière lesquelles vous vous êtes caché pendant si longtemps. Cette barricade est fissurée maintenant, et cette fissure douloureuse est due à votre évolution personnelle.

Pourtant, au plus profond de ce gouffre d'obscurité, une petite voix vous souffle que la vie n'est pas un art, *mais une aventure*. J'ai un jour entendu Scott Peck déclarer que l'on mesure le bien-être psychologique et spirituel d'un être au nombre de crises qu'il parvient à surmonter. Vous êtes prêt pour cette transformation, vous êtes prêt à accroître votre capacité à assumer un tel niveau de risque. Le simple fait d'avoir isolé le problème que vous voulez résoudre aujourd'hui démontre que votre désir de changement s'est accrû. Fouillez les tréfonds de votre courage, car ce courage ne vous est donné que si vous acceptez d'être confronté à vos peurs et de poursuivre votre route en dépit d'elles. Vous saurez que vous avez progressé quand vous préférerez la douleur qui vient de la conscience à l'expérience authentique.

La disponibilité à tout l'éventail des expériences humaines non seulement vous permet d'interagir avec vos schémas cognitifs et de transformer ceux-ci, mais représente aussi l'essence même du processus créateur. Dans leur ouvrage intitulé *Religion and the Individual,* Batson, Schoenrade et Ventis écrivent:

> Le processus créateur entraîne une transformation des schémas cognitifs qui dictent, chez l'individu, sa vision du monde. Une restructuration de ces schémas cognitifs donne naissance en lui à une nouvelle réalité.

Le moment est venu pour vous de vous hisser à ce niveau du processus créateur eu égard au dilemme auquel vous êtes confronté. Vous n'êtes plus en mesure d'attendre que les caprices de la vie vous procurent la réussite à laquelle vous aspirez. Vous devez d'abord accepter de payer le prix que requiert votre vitalité future en vous rendant généreusement disponible à un champ plus vaste d'expériences humaines.

Donald Marrs a été de ceux qui ont accepté de payer le prix de leur liberté à l'époque où il était encore vice-président et directeur artistique de la Leo Burnett Company, l'une des plus importantes agences de publicité au monde. Obéissant à sa voix intérieure, il a délaissé la sécurité que lui procurait sa profession de publicitaire afin de concrétiser un vieux rêve: travailler dans le domaine du cinéma. Il a vendu sa maison afin de pouvoir quitter Chicago et s'installer à Hollywood. Son épouse, très engagée socialement dans sa communauté, a réagi à la crise que traversait son mari par des sentiments contradictoires, si bien que leur mariage s'est soldé par un divorce. Hollywood s'est révélé décevant pour Donald. Après avoir épuisé ses économies, il a dû compter sur la générosité de ses nouveaux amis pour vivre et s'est inquiété de savoir si sa malchance persisterait. L'histoire de Donald n'est pas une belle histoire. Dans un ouvrage honnête et émouvant intitulé *Executive in Passage,* il conclut que le processus de croissance personnelle n'est pas toujours aussi propre et douillet que l'on pourrait souhaiter. Mais Donald a persisté dans la voie qui lui paraissait encore la plus prometteuse de bonheur. Puis, à force d'erreurs et d'incidents de parcours, il a fait la rencontre d'une femme qui l'a aimé et qui a su apprécier à sa juste valeur la crise difficile qu'il traversait. Donald a enfin pu reconstruire sa vie, non pas la vie hollywoodienne et spectaculaire qu'il avait désirée, mais une vie infiniment plus satisfaisante que celle à laquelle il avait renoncé.

Dans *Executive in Passage,* Donald parle de ce qu'il lui en a coûté pour refaire sa vie:

> On eût dit que la nature m'avait dit: «Ainsi, tu veux changer de vie? Eh bien, les lois de la réalité te permettront d'y parvenir, mais tu devras accepter de t'aventurer quelque temps en territoire inconnu. Quand tu quittes les lieux qui te sont familiers, tu effaces les règles strictes qui t'ont gouverné jusque-là et, pendant un certain temps, tu avances en aveugle. Écoute cette mise en garde: entre le moment où tu effaceras tes anciennes lois et celui où tu t'en créeras de nouvelles, tu connaîtras un grand vide. [...] Seule te guidera ta bonne étoile. Mais si tu fais preuve de persistance et si tu acceptes les défis qui surgiront sur ta route, tu découvriras que l'acte même de surmonter les obstacles et de vaincre tes peurs troquera tes anciennes balises pour la sagesse nécessaire à la création de la vie dont tu rêves.»

Souvent, vous acceptez d'écouter votre cœur, mais à la condition que la période de malaise que cet acte entraîne ne dure pas trop longtemps.

En agissant ainsi, vous faites preuve de complaisance. Vous louez Dieu, l'univers et votre propre sollicitude, mais uniquement si tout se déroule tel que prévu. Mais faites un pas, un tout petit pas vers la sincérité sans que vos désirs ne se réalisent sur-le-champ, et vous abandonnez votre navire à son naufrage. *Oh,* dites-vous, *cela ne sert à rien d'écouter ma voix intérieure. N'y a-t-il pas un mode de vie sécurisant et ennuyeux, comme celui auquel j'ai renoncé, qui puisse m'apaiser sans nuire à mes objectifs?*

Il y a quelque temps, j'effectuais une tournée de promotion de mon plus récent livre. Tout se déroulait plutôt bien; j'accordais des entrevues et je donnais des conférences. Mais quand je suis arrivée à Los Angeles, les choses ont mal tourné. Certaines des plus importantes émissions de radio auxquelles j'espérais être invitée à participer ne se sont pas concrétisées. Les quotidiens n'ont pas parlé de mon livre. J'avais mis tous mes espoirs dans une émission de télévision du matin que m'avait obtenue mon attachée de presse. Dans la salle d'attente verte, en coulisses, mon esprit allait et venait entre le plat de beignes posé devant moi, ma préparation à l'entrevue et la diffusion des nouvelles du jour, projetées sur un écran témoin dans un coin de la pièce glaciale.

Quand la script-assistante est venue me chercher pour me conduire sous les projecteurs, je l'ai suivie avec joie. On m'a fait prendre place aux côtés de l'animateur, on a fixé un micro à ma veste et l'animateur m'a présentée. Se tournant vers moi, il a dit:

«Dans votre livre, vous parlez d'une technique de méditation que l'on peut mettre en pratique au travail, sans quitter son bureau. Pouvez-vous me l'enseigner?

— Bien sûr. Fixez votre attention sur un point neutre et brouillez votre vue. Très bien. Maintenant, inspirez lentement et...»

Avant d'avoir pu lui dire d'expirer l'air de ses poumons, il s'était levé d'un bond, les caméras patinaient partout dans le studio, et l'on m'arrachait mon microphone. Qu'avais-je donc fait? L'animateur était-il victime d'une crise cardiaque?

Quelque part à Los Angeles, un cheval était tombé dans un ravin. Le poste était parvenu à dépêcher un caméraman sur les lieux avant tout le monde. On me délogeait pour faire de la place à un cheval tombé.

Inutile de dire à quel point j'étais déçue. Je ne pouvais m'empêcher de penser que, si j'avais su être plus efficace, si j'avais été plus célèbre, si nous avions abordé un sujet plus spectaculaire, le cheval n'aurait pas eu la priorité. Qu'aurais-je pu faire pour livrer un message plus mémorable que l'image d'un cheval tombé dans un trou? Je voulais à tout prix trouver la réponse à cette question avant l'heure de ma prochaine entrevue. En fait, je désirais une réponse avant le coucher du soleil. En repensant aux événements de la matinée, j'ai compris que les rouages habituels de mon hémisphère gauche tournaient à vide. Je me suis donc inspirée de mon propre enseignement et j'ai donné à mon hémisphère droit l'occasion de se manifester.

Bref, j'ai décidé de transporter ma dépression à Disneyland et d'assister à un spectacle de sons et lumières. Très vite, alors que j'étais assise sur les berges du lagon Adventureland, ma dépression a cédé sa place au spectaculaire combat entre le Bien et le Mal qui se déroulait sous mes yeux, projeté sur de gigantesques nuages de brume au-dessus de ma tête dans un éclat de feu et de rayons laser. Je n'avais pas ressenti une telle humilité devant la capacité d'émerveillement que peut susciter l'univers depuis les tout premiers feux d'artifice de mon enfance. L'incident du cheval tombé était relégué aux oubliettes et, pour tout dire, assez grotesque. Je me sentais déjà mieux.

Mais, bientôt, une tristesse inexplicable m'a submergée: tous ces millions de dollars de technologie de pointe, le génie de Walt Disney pour étonner et manipuler les spectateurs avaient-ils été nécessaires pour que je comprenne que des forces supérieures contrôlent et dirigent ma vie? Quelque chose dans cette double prise de conscience — une de la douleur, une de l'émerveillement — m'a rappelé la petitesse de mon rôle dans le grand schéma du monde. Ce matin, un cheval était tombé dans un ravin. Ce soir, le celluloïd se perdait dans un nuage de brume. La vie frappe sans cesse à notre porte en nous enjoignant de perdre notre arrogante illusion de pouvoir afin de céder la place à un véritable esprit d'aventure.

Une anecdote classique de la tradition yogique illustre cet état de choses. Une mystique indienne errait de maison en maison en mendiant sa nourriture et son gîte. Aucun des villageois n'acceptait de lui ouvrir sa porte. Quelque temps plus tard, souffrant de froid et de faim, la femme se rendit dans les collines environnantes pour y passer la nuit. Grelottante, elle se blottit sur le sol sous les branches d'un arbre. À l'heure la plus froide de la nuit, juste avant l'aube, elle s'éveilla au moment précis où un rayon de lune baignait son visage. L'arbre était en fleurs, et ses fleurs tournaient leur corolle vers la lumière lunaire. La mystique pleura de joie et de gratitude et remercia les villageois de l'avoir chassée. Sans eux, elle n'aurait pas connu la plus belle expérience de sa vie: ouvrir son cœur à la beauté de l'univers et apercevoir, au-delà de sa survie, un tout petit bout du mystère de l'existence.

À mesure que votre vie intérieure se révélera aussi difficile et fascinante que votre vie quotidienne, vous vous détacherez de votre problème, de la certitude qu'il ne peut avoir qu'une solution. Cela ne signifie nullement qu'une réponse claire et simple est impossible. Mais vous ne mesurerez plus votre réussite au fait qu'une telle réponse vous parviendra au moment où vous l'attendiez. Vous devrez bien sûr relever des défis, connaître certains regrets et traverser des périodes de malaise. Mais si vous y voyez des portes d'entrée, vous recevrez les réponses qui vous sont consenties uniquement lorsque vous comprenez que la vie est un processus et non pas un objectif. Avez-vous tendance à ne vouloir vous épanouir qu'une fois votre objectif atteint? Si vous perdez votre temps à attendre que la réponse à votre dilemme vous rende heureux, ce bonheur continuera de vous échapper. Vous voudrez toujours et encore accomplir davantage.

Renoncez à votre ambition et remplacez-la par la conscience profonde que l'élan sincère qui vous pousse à «franchir la porte d'entrée» vous procurera plus de satisfaction que toutes les illusions de succès nées de votre désir de posséder, de faire, d'agir et de contrôler. Si vous souhaitez vraiment être comblé par la solution à vos problèmes, vous devez avant tout vous laisser combler par votre vie présente, quelles qu'en soient les circonstances. La discipline et la pratique vous apprendront à faire comme si vous aviez déjà atteint votre objectif, peu importe les apparences. Puis, lorsque surviendra un événement heureux, vous ne mesurerez plus votre bonheur à son aune, mais vous y verrez un produit dérivé de votre bonheur réel, autrement dit, un supplément, un incident fortuit sur le chemin de votre existence.

Les approches traditionnelles nous ont enseigné à ne pas tenir compte de nos émotions pour parvenir à nos fins. La vie intérieure a été dévaluée à mesure que nous avons défini la réussite en termes de réalisations superficielles. Selon ce modèle, la logique, la volonté et la force brute ont été nos principaux outils. À court terme, nous pensions avoir résolu nos problèmes du moment, mais, en réalité, cette réussite se révélait de courte durée. Cela est dû au fait que la vie se transforme continuellement. Elle n'est jamais statique.

Ceux qui aspirent à résoudre leurs problèmes en contrôlant les aspects extérieurs de leur existence se condamnent à la frustration en raison de leur inaptitude à apporter des solutions permanentes à leurs dilemmes.

L'approche inédite que je vous propose ici vous enseigne à transcender les raisonnements logiques et la force de la volonté, et à embrasser un plus vaste éventail de possibilités. Selon cette approche, vous apprenez à équilibrer le besoin de contrôle et de maîtrise de l'hémisphère gauche et le désir d'abandon de l'hémisphère droit. Vous entrez en contact avec vos ressources spirituelles, par exemple la foi, l'acceptation, la patience, la créativité et l'inspiration, afin de connaître ce succès que vous n'aviez jusque-là cru possible qu'à travers des réalisations terre à terre.

Curieusement, c'est en renonçant à vos anciennes méthodes que vous élargissez vos horizons. Le processus créateur et l'intuition sont là, à votre disposition, et peuvent vous mener vers une importante prise de conscience. Les problèmes qui vous harcèlent depuis des années perdent soudainement leur emprise sur vous. Vous vous hissez d'une réactivité angoissée et appréhensive jusqu'à la certitude d'être en contact direct avec un processus qui vous apportera le bonheur auquel vous aspirez.

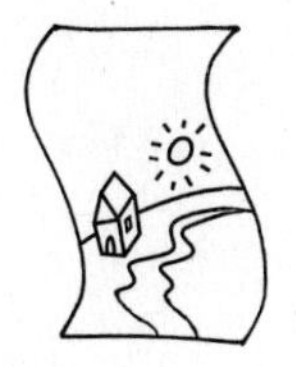

deuxième heure

Étayez votre descente

4
Nourrissez vos démons intérieurs

Qu'Il me fasse périr, j'aurai fini d'espérer, mais je n'aurai pas laissé de lui mettre ma conduite sous les yeux.

Job

SELON NOTRE VISION contemporaine du monde, la souffrance est synonyme d'échec. Notre société déploie d'innombrables efforts pour éviter le moindre malaise. Les médicaments vendus sans ordonnance représentent un volume d'affaires de plusieurs milliards de dollars. Les ventes de l'antidépresseur Prozac atteignent des sommets inégalés. La personne en proie à des émotions négatives est dite «confuse». L'individu qui souffre se demande où il a erré.

Dans la philosophie que véhicule *Ne t'endors jamais le cœur lourd!* la souffrance n'est pas perçue comme une manifestation d'échec, mais bien comme le véhicule de votre accession à un état supérieur. Revenons un instant aux trois hypothèses situées au cœur de cet ouvrage:

Première hypothèse: L'univers et soumis à un ordre invisible.

Deuxième hypothèse: Notre salut consiste à nous ajuster harmonieusement à cet ordre invisible.

Troisième hypothèse: Les causes de notre mauvais alignement avec l'univers sont fortuites et surmontables.

Nous allons maintenant nous arrêter au processus qui permet de surmonter cet obstacle. Dans les chapitres précédents, nous avons vu que, depuis les travaux des philosophes et des psychologues du début du siècle, la science moderne étudie les moyens auxquels nous recourons pour accroître notre capacité à résoudre nos problèmes. Selon William James, ce processus n'est pas sans douleur:

> L'évolution normale de la personnalité consiste principalement dans le redressement et l'unification du moi intérieur. Les émotions nobles ou viles, les élans utiles ou funestes composent tout d'abord un chaos relatif, mais ils doivent parvenir à former un ensemble stable de fonctions interdépendantes. Une certaine souffrance accompagne généralement cette lutte et cette mise en ordre.

Les maîtres spirituels de toutes les époques, de toutes les religions et de toutes les orientations, notamment James, ne voient pas dans la souffrance un mal évitable mais un mal nécessaire, un étape importante vers la maturité spirituelle. Cet aspect spirituel de la souffrance porte plusieurs noms. Certains le qualifient de «néant». Au XVe, saint Jean de la Croix l'appelait «la nuit obscure de l'âme». Quelle que soit l'appellation que vous lui donniez, il correspond à l'espace compris entre ce qui fut et ce qui sera. Ses ténèbres n'ont ni frontières ni repères. Celui qui occupe cet espace le croit sans fin. Heureusement, bon nombre de «survivants» ont émergé de ce néant avec une vitalité accrue, en étant mieux intégrés, mieux branchés sur les occasions qui se présentent et ce, non pas en dépit de leur expérience, mais grâce à celle-ci. Le néant est en somme le lieu le plus propice au réagencement de nos processus cognitifs, car c'est en ce lieu que nous nous distançions le plus des structures qui, jusque-là, avaient défini le sens que nous donnions à notre vie.

Les méthodes auxquelles nous avions auparavant recours pour résoudre nos problèmes demeurent sans effet dans le néant. Mais ce défaut de fonctionnement, tout en intensifiant notre souffrance, peut contribuer à nous élever. William James nous enseigne que l'allégement de nos peines représente souvent «un bonheur plus banal». Il n'ignore pas que peuvent accéder à la vie spirituelle ceux qui possèdent le courage de traverser ce néant non pas en recherchant une solution superficielle ou une fuite à leurs dilemmes, mais bien en *aspirant à enrichir leur vie.*

L'expérience à laquelle James fait allusion trouve un écho dans les écrits des mystiques juifs, selon lesquels l'individu disposé à un tel degré d'engagement est un *tsaddik,* littéralement, un juste. Selon le grand maître hassidique, Rabbi Nahman, le tsaddik véritable est un *baal t'shuvah* — un pénitent sans péché qui demande pardon de n'avoir pu dépasser le niveau spirituel auquel il est parvenu à se hisser. L'insatisfaction du tsaddik lui indique que le moment est venu pour lui de chercher à se dépasser. Le fait de se satisfaire d'un niveau spirituel donné, si élevé soit-il, est vu comme un péché.

Je me souviens d'un incident précis qui marqua l'irruption, dans ma vie, d'une nuit ténébreuse. Notre entreprise de relations publiques venait tout juste de signer le contrat le plus convoité de San Francisco avec le plus important centre commercial de la région, l'Embarcadero Center. Nous étions à la fine pointe, nous étions dans le wagon de tête, nous étions au sommet de l'échelle. Le centre commercial s'agrandit. Nous réquisitionnâmes les médias comme s'ils étaient notre propre armée de fantassins: manchettes dans les journaux et aux nouvelles du soir, reportages de magazines. Une fois conclue notre campagne de presse, le directeur de la mercatique me convoqua à son bureau. Je crus qu'il nous offrirait un boni, mais il résilia notre contrat. Merci beaucoup, mais nous ne lui étions plus utiles.

On ne congédie pas le maître de l'univers? Cela m'est pourtant arrivé. Cette nouvelle m'a beaucoup ébranlée. Pour la première fois de ma vie, je voyais clairement le fondement mécaniste de mon existence qui, jusque-là, avait servi mes intérêts: ton travail sera récompensé. L'éthique calviniste. Je comprenais soudain que cette médaille avait aussi un revers: si j'étais récompensée pour l'excellence de mon travail, je devais aussi être punie lorsque je me trompais.

En quoi m'étais-je trompée? Voilà une question piège, liée à la vaine certitude de toujours disposer d'un moyen — quantitatif ou qualitatif — qui me permette de contrôler ce qui m'arrive. J'aurais préféré continuer à croire que ce désagréable incident était dû à une erreur que j'aurais commise, plutôt que de savoir que mon aptitude à diriger le destin avait des limites et qu'il était inévitable que j'essuie de temps à autre un revers injustifié. *Punis-moi, s'il le faut, car de la punition vient l'amendement et sa récompense. Mais ne me mets pas en face de mes limites humaines.* Mais cet incident était si injustifié et si injuste que mes efforts courageux pour tenir le coup s'avérèrent vains et je fus précipitée dans le néant.

J'ai relaté dans mes précédents ouvrages plusieurs conséquences de cet incident qui se sont manifestées au cours des années suivantes: comment j'ai réévalué le temps et l'énergie que j'avais investis dans mon travail au détriment des autres aspects de ma vie et de mes relations personnelles (*Enough is Enough*); comment mon entreprise m'a servi de cobaye dans mes tentatives pour développer les aspects humanistes et spirituels de la productivité (*Inner Excellence*); comment j'en suis venue à comprendre que la réussite n'a rien à voir avec une ambition démesurée qui fait fi des sentiments et des valeurs, et tout à voir avec ma croissance personnelle et spirituelle et la certitude que mes plus grands succès seront des produits dérivés de ce processus (*How Would Confucius Ask for a Raise?*). Le jour où notre contrat fut résilié, j'ignorais encore que cette traversée des ténèbres m'amènerait à réorienter inconsciemment ma carrière, à développer une toute nouvelle vision de l'existence et de mes problèmes et à jouir d'une plus grande détermination et d'une vitalité accrue. Grâce à ma fréquentation de la littérature édifiante, j'ai pu identifier les cinq étapes que nous devons franchir dans notre traversée du néant. Bien que je leur aie assigné un numéro, elles ne composent pas un ensemble linéaire. Chacune contient toutes les autres, et toutes peuvent être franchies simultanément à n'importe quel moment de ce parcours. Les cinq étapes de la nuit obscure de l'âme sont décrites dans les pages qui suivent.

1. L'acceptation de la descente dans le néant

Lors de cette première étape, vous comprenez que la souffrance, l'indécision et la vulnérabilité qui découlent de vos problèmes ne sont pas dues à vos défauts, mais à vos qualités. En psychologie, cette phase est dite «préparatoire» et trouve sa source dans votre inaptitude à recourir à vos structures cognitives passées pour résoudre vos dilemmes. Plutôt que de lutter contre la douleur, vous constatez que vos émotions vous permettent d'entrer au plus profond de vous-même, soit au lieu de la métamorphose et de la révélation. Il faut une grande dose de courage pour affronter les questionnements surgis du néant.

Jacob, fils d'Isaac, a su accepter de souffrir pour grandir. Vous rappelez-vous l'histoire de Jacob et de son frère Esaü? À l'aide d'une peau de brebis, il se fit passer pour son frère — qui était poilu — et capta ainsi par ruse la bénédiction de leur père aveugle et confiant. Puis, Jacob gravit les échelons de la réussite par ses mensonges et ses tromperies tout en étant parfois dupé à son tour par les autres, qu'il trahissait aussitôt. Au milieu de sa vie, il s'était entouré d'une belle grande famille, il était riche et en vue, et possédait deux femmes. Loin du souvenir dédaigneux de son père et d'Esaü, il semblait couvert de bienfaits. Mais ses manipulations futées ne lui avaient pas procuré l'essentiel: la fermeté.

Ainsi qu'il arrive souvent dans ces récits édifiants — et dans notre vie, du moment que nous posons les bonnes questions et que nous sommes disposés à livrer les combats qui s'imposent —, les appels de l'âme sont entendus. Jacob trouva la réponse à ses interrogations dans le gouffre profond du torrent de Yabboq. Ayant rassemblé sa famille et ses biens, Jacob entreprit un long voyage vers son pays natal dans l'espoir d'une réconciliation avec son frère Esaü. Quand ils parvinrent au creux de la gorge, la nuit était profonde. Quelque chose poussa Jacob à aider sa caravane à traverser le torrent jusqu'aux ténèbres du rivage opposé, puis à rester seul de ce côté du gué, sans enfants pour le distraire, sans épouses à amuser. Un esprit vint qui lutta avec lui jusqu'à l'aube. Toute la nuit durant, Jacob affronta ses mensonges, sa volonté de dominer le monde, sa honte et sa peur incarnés par l'être divin. Il combattit les imperfections de sa nature, ce douloureux décalage que nous ressentons tous de temps à autre entre l'image que nous espérons projeter et les lacunes que nous nous connaissons.

L'aube parut, comme elle le fait toujours. Le combat prit fin, mais pas avant que Jacob n'ait compris ce qu'il lui en coûterait pour trouver le courage qui lui faisait défaut. Lui qui, pendant si longtemps, avait été rusé et âpre en affaires, avait livré un rude combat dont il était sorti blessé, épuisé, et suppliant Dieu de lui accorder Sa miséricorde. L'important est qu'il ait accepté cette lutte, qu'il ait accepté d'en revenir brisé. L'essentiel, après tout, était qu'il regarde sa vérité d'homme en face et qu'il promette de s'amender, même si cela signifiait renoncer à ses ambitions de pouvoir.

En raison de son humanité, Jacob dut, cette nuit-là, affronter un second dilemme. L'Éternel lui accorda sa bénédiction et Jacob rencontra son frère Esaü, qui lui pardonna et se jeta à son cou pour l'embrasser. Sans doute Jacob parvint-il ainsi à se pardonner à lui-même. Cette leçon est, de toutes, la plus difficile. Pouvez-vous vous voir tel que vous êtes, avec vos lacunes et vos imperfections, et tout en promettant de vous amender, continuer à faire preuve de vitalité, à espérer et à vous engager en sachant pertinemment que votre nature humaine creusera toujours un écart entre vos idéaux et votre vie réelle?

L'expérience de Jacob nous montre que nous pouvons tromper autrui, commettre des erreurs, posséder des valeurs douteuses, mais que si nous sommes déterminés à prendre intégralement la responsabilité de nos émotions, nous nous engageons dans une lutte digne de nous-mêmes. L'obligation d'assumer vos imperfections d'être humain vous poussera au désespoir, mais vous choisirez de vivre. Vous serez parvenu à la deuxième étape du processus.

2. La reddition sans condition

Au départ, nous tentons tous d'éviter de souffrir ou de lutter contre nos souffrances. Par ailleurs, les saints, les mystiques et les gourous nous enseignent que le plus court chemin vers la guérison ne consiste pas à *repousser* la souffrance, mais bien à *s'y engouffrer*. On accepte de faire l'expérience de la douleur, de poser les questions essentielles, confiant qu'en renonçant à nos anciens comportements nous permettons à quelque chose de plus productif de les remplacer. En psychologie, c'est ce qu'on appelle la phase d'incubation: renoncer à recourir à d'anciennes méthodes naguère efficaces pour résoudre votre problème actuel.

Pema Chodron, supérieur de l'abbaye de Gampo, le premier monastère tibétain pour Occidentaux fondé en Amérique du Nord, illustre ce point en relatant l'histoire de Milarepa, l'un des adeptes de la doctrine Kagyii du bouddhisme tibétain.

Milarepa était un ascète, un ermite qui passa de nombreuses années dans la solitude des grottes du Tibet où il s'adonnait à la méditation. Un soir qu'il retournait à sa grotte après avoir été ramasser du petit bois, il s'aperçut que des démons avaient envahi son refuge. L'un d'eux lisait le livre de Milarepa, un autre dormait dans son lit. Il y avait des démons partout. Dans l'espoir de dominer la situation, Milarepa eut l'idée de leur enseigner la voie de la révélation. Il choisit un siège surélevé d'où il les dominait et leur tint un discours sur la compassion. Les démons feignirent de ne pas l'entendre. Il se mit en colère et les tança. Les démons se moquèrent de lui. Enfin, il se rendit à l'inévitable et s'assit par terre au milieu des démons: puisqu'il ne parvenait pas à les chasser, autant apprendre à vivre en leur compagnie.

C'est ce moment que les démons choisirent pour s'en aller. Tous partirent, sauf un. (Il en reste toujours un, celui qui vous terrorise le plus.) Constatant qu'une reddition totale s'imposait, Milarepa opta pour son dernier recours. Il s'approcha du démon qui restait et pénétra dans sa bouche. Il s'offrit littéralement en pâture au démon. Celui-ci disparut aussitôt et Milarepa, métamorphosé, retrouva sa solitude.

3. La revendication de nos droits

Il arrive que l'on remarque, si l'on n'est pas distrait, que la reddition se transforme en révolte. Nous avons droit à une relation avec Dieu et à un rapport au monde qui donne un sens à notre vie. Nous avons droit à l'équité, à la stabilité, à la justice. Elles ne nous sont pas toujours consenties.

Mon amie Melissa me téléphona un jour de San Francisco. Melissa était une «copine d'atelier», une codisciple qui était heureuse d'explorer la façon dont les êtres humains ont, de tout temps et dans toutes les sociétés, cherché à comprendre et à faire l'expérience de «l'ordre caché». Nous avions suivi ensemble les mêmes cours et participé à de nombreux séminaires, nous nourrissant de tout, des différentes doctrines spirituelles à un mélange de denrées psychologiques, psychiques et spirituelles de notre époque. Nous nous étions toujours flattées de parcourir le chemin le moins fréquenté.

Nous ne nous étions pas parlé depuis un certain temps, mais j'ai su tout de suite qu'elle se débattait encore avec un problème persistant qui avait résisté à toutes ses expériences spirituelles. Comme d'habitude, elle bouillonnait de spiritualité, mais ses émotions étaient durement confrontées au fait qu'à trente-huit ans elle n'avait toujours pas déniché l'âme sœur. Elle aspirait à trouver un compagnon de vie, et la solitude lui pesait. J'entendis sa voix me parvenir du plus profond de ces lointaines abysses. Je lui demandai si elle avait une Bible. Elle crut que je plaisantais. La dernière chose qu'elle souhaitait était que je la réconforte avec des paroles édifiantes. Elle voulait une solution à son problème. Je lui demandai de patienter, tout en me reportant au psaume 88.

> Éternel, Dieu de mon salut, jour et nuit je crie, et suis en ta présence. Que ma prière monte jusqu'à toi! Incline l'oreille à ma plainte. Car mon âme est rassasiée de maux, et ma vie touche au bord du Cheol.
> Déjà je compte parmi ceux qui sont descendus dans la fosse; je suis tel qu'un homme qui a perdu toute force, qui, abandonné parmi les morts, ressemble aux cadavres couchés dans la tombe, dont tu ne gardes plus aucun souvenir, et qui sont retranchés de ta main. Tu m'as plongé dans un gouffre profond, en pleines ténèbres, dans les abîmes.

Elle attendait la chute, le dénouement heureux de la fin. Mais le psaume 88 comptait encore quelques passages déprimants avant de se terminer par ces mots: *«Tu as éloigné de moi amis et compagnons; mes intimes sont invisibles comme les ténèbres.»*

Dans quel but voulais-je lui faire partager ce texte? J'espérais lui rappeler que le sentiment de désespoir qui la tenaillait était vieux comme le monde, que d'autres avant elle l'avaient éprouvé.

Dans le psaume 88, l'esprit de la vie affirme sa présence. On s'engage dans la lutte, on exige de comprendre son rapport à l'univers. Nous devons accepter de poser les grandes questions de la vie, d'éprouver des émotions troublantes, peu importe où cela peut nous conduire. Dans le journal intime de l'écrivain et critique anglaise Katherine Mansfield, décédée en 1923, on peut lire ce qui suit:

> Il n'y a pas de limite à la souffrance humaine. Lorsque nous nous disons: «J'ai touché le fond de l'océan — je ne saurais descendre plus profond», nous descendons encore plus bas. Et cela se poursuit sans fin. [...] Je ne veux pas mourir sans affirmer que nous pouvons surmonter la souffrance. C'est une chose à laquelle je crois. Mais comment faire? «Passer outre» n'entre pas en question. C'est faux.
> Nous devons nous rendre. Ne pas résister. Accueillir la souffrance. En être bouleversé. L'accepter totalement. L'intégrer à notre vie. [...] Ce moment d'agonie viendra à passer — s'il ne nous tue pas d'abord.

Le psaume 88 retint l'attention de Melissa. Peu après, elle me demanda de lui expédier une première version du présent ouvrage, afin d'en appliquer les principes. Parvenue à la démarche que je vous proposerai bientôt, elle eut une importante révélation. Mais j'aimerais attendre, pour vous décrire cette expérience, que vous ayez fait vous-même cet exercice.

Une dernière pensée avant que vous ne poursuiviez votre descente aux enfers. À l'occasion d'un entretien avec Michael Toms de la radio New Dimensions, Joseph Campbell avoua être particulièrement sensible à une citation de *La Queste del Sainte Graal.* Les chevaliers de la cour d'Arthur ont pris place à la table des banquets, mais Arthur ne permet pas que le repas soit servi avant qu'une aventure extraordinaire soit advenue dans sa maison. Naturellement, un incident merveilleux survient: l'apparition du Graal, porté par des messagers angéliques et caché sous un linge. Puis, aussitôt, il disparaît. À ce point, Gauvain, le neveu du roi Arthur, suggère aux chevaliers d'entrer en quête et de ne revenir qu'après avoir aperçu le Graal sous l'étoffe qui le cachait. Ils se mettent en route.

La citation qui bouleversait tant Campbell était la suivante: «Ils convinrent que tous entreraient en quête, mais sentant la disgrâce de partir dans une aventure commune, chacun pénétra dans la haute forêt à l'endroit qu'il avait lui-même choisi, là où elle était la plus obscure et où nul chemin ne s'ouvrait.»

Campbell poursuit: «S'il apercevait un chemin, c'était forcément celui de quelqu'un d'autre. [...] Ce que nous cherchons, notre cheminement, notre but, tout cela est une réalisation qui n'a encore jamais eu lieu sur terre, c'est l'épanouissement de notre potentiel personnel. Nul autre que vous n'y a accès. Ceux qui ont suivi un chemin avant vous peuvent vous transmettre des indices, vous dire comment tomber et comment vous relever, mais vous seul pouvez savoir quand tomber et quand vous relever, quand vous êtes terrassé et quand vous vous tenez debout.»

Le processus suivant nous montre quelque chose de plus grand encore que le chemin le moins fréquenté. Il nous montre un endroit où nul chemin ne s'ouvre.

Ici, j'interromps provisoirement la description des cinq étapes de votre cheminement afin que vous puissiez entamer les exercices de la deuxième heure. Nous reviendrons aux cinq étapes dès que vous en aurez terminé.

Démarche:
Étayez votre descente

Au cours de cette deuxième heure, votre seule tâche consiste à faire totalement l'expérience de vos émotions. Faites jouer un disque. Allumez un feu de foyer. Fermez la porte afin de ne pas être dérangé. Laissez-vous aller complètement à vos émotions. N'écrivez rien. Ne lisez pas. Ne faites rien d'autre que ressentir.

Si vous êtes frustré, frappez dans un oreiller. Si vous êtes triste, assurez-vous d'avoir des mouchoirs de papier à portée de la main. Si vous éprouvez de la difficulté à laisser vos émotions vous envahir, irritez-vous-en! Chaque fois qu'une émotion surgit, efforcez-vous de lui donner un nom. Les bouddhistes tibétains voient le Bouddha partout. Lorsque vous êtes anxieux, c'est le Bouddha anxieux. Lorsque vous êtes en colère, c'est le Bouddha irrité. Lorsque vous ne ressentez rien, c'est le Bouddha rien. Remuez la soupe dans la marmite. Tôt ou tard, quelque chose émergera. Le moment est venu de cesser de tourner autour du pot, de mettre le doigt sur le bobo. Laissez-vous sombrer.

Vous croyez toujours agir ainsi? Vous croyez que cette démarche est facile? Après tout, vous êtes sans cesse anxieux, ou fâché. En réalité, vous ne permettez jamais qu'aux ombres de ces émotions d'émerger: de petits soupirs, de minuscules larmes, d'anodins gémissements de désespoir. Rien que cette part d'émotion que vous savez pouvoir dominer.

Ce que je vous demande, c'est de donner libre cours à vos émotions.

Si vous sombrez, remonterez-vous jamais? Vous avez toujours compté sur une ceinture de sauvetage. Que se passera-t-il si vous n'en avez pas, si vous vous enfoncez dans les noires abysses de l'âme pour n'en jamais revenir? Comment résoudrez-vous jamais votre problème avant le coucher du soleil?

Voici comment. Vous étayerez votre descente. Afin de bien effectuer la marche à suivre que je décrirai ensuite, accordez-vous une heure d'émotions. Donnez à cette heure un début clair, une fin précise. Si vous appréhendez de disparaître à jamais dans le néant, fiez-vous à votre réveille-matin. Cette heure vous appartient. N'analysez ni le processus en cours ni votre progrès. Concentrez-vous sur un but unique: la sincérité. Quand l'heure sera écoulée, nous passerons ensemble à l'étape suivante. Commencez maintenant.

5
Peut-on se fier à ses émotions?

Toute tentative pour faire bonne impression entraîne l'effet contraire. Mais dites la vérité, et voilà que chaque chose vivante ou grossière vous justifie, les racines mêmes de l'herbe s'émeuvent et viennent témoigner pour vous.

Ralph Waldo Emerson

LORSQUE VOUS EXPRIMEZ sincèrement vos émotions, l'univers vacille sur son axe. L'expérience que vous venez de vivre pourrait vous donner la réponse que vous cherchez. Dans un moment, je vous ferai part de la révélation de Melissa et de plusieurs autres transformations dues à cette démarche préparatoire.

Mais auparavant, je dois aborder quelques questions importantes que l'heure qui vient de s'écouler a sans doute vu surgir à votre esprit: Pouvez-vous vous fier à vos émotions? Pouvez-vous distinguer une émotion vraie d'une émotion factice? Comment savoir ce que vous ressentez vraiment? Que signifie être sincère?

Dans les premiers chapitres de cet ouvrage, nous nous sommes penchés sur la pratique orientale qui consiste à désarçonner l'hémisphère gauche rationnel en créant un vide mental grâce à la méditation. Quant à moi, je vous ai suggéré le contraire, soit de surcharger votre cerveau en vous complaisant dans vos pensées plutôt que de tenter de les réprimer.

Nous sommes placés devant les mêmes extrêmes en ce qui concerne nos émotions. Dans les philosophies orientales, les émotions sont vues comme des produits de la raison. Vous vous souviendrez que nos processus rationnels évoluent et agissent par le biais de la comparaison. Les philosophies orientales placent l'origine de toute émotion défaitiste dans cette dualité. Je suis malheureux *parce que* je préférerais vivre autrement. Je suis irrité *parce que* les choses n'ont pas eu le résultat escompté. J'ai honte *parce que* je sais que je n'ai pas agi comme j'aurais dû.

Si nous n'avions rien à comparer, les émotions négatives n'existeraient pas. Si nous parvenions à réprimer ces dissonances, il ne nous resterait plus que la quintessence du moment, soit l'expérience du «moment présent» et de notre reddition inconditionnelle à ce qui est en train de se produire.

Une anecdote illustre bien ce propos, celle d'un moine zen qui vivait aux alentours d'un village du Japon. Une jeune villageoise avait eu un enfant hors mariage. Lorsque ses parents voulurent savoir qui en était le père, la jeune fille accusa injustement le moine. Les parents portèrent l'enfant au moine et exigèrent qu'il se charge de son éducation. Il répondit: «Bon, c'est ainsi.» Il s'occupa tendrement de l'enfant pendant plusieurs années. L'enfant était beau et dispensait beaucoup de bonheur au moine et aux gens du village. Lorsque la mère de l'enfant comprit qu'elle avait là un fils exceptionnel, elle regretta de l'avoir confié au moine et avoua enfin à ses parents l'identité du véritable père de l'enfant. Les parents de la jeune fille s'en furent rechercher leur petit-fils. Celui-ci ne revit plus jamais le moine. La réaction du moine? «Bon, c'est ainsi.»

Une reddition aussi totale est difficile à imaginer, encore moins à mettre en pratique, mais un incident que me relatait récemment un ami conférencier en illustre l'importance. David avait été invité à s'adresser à un groupe de cadres dans l'industrie de la défense sur le sujet suivant: «La motivation des employés». Sa conférence, librement inspirée de mes ouvrages, était prévue pour 15 h. David n'ignorait pas que l'entreprise avait subi une forte restructuration ayant entraîné au fil des ans une importante réduction de personnel (de 4 000 à 1 700). Conscient d'affronter un auditoire vulnérable, David décida néanmoins de ne modifier en rien son texte: «Vous voulez inspirer vos employés? Demandez-vous d'abord si vous êtes vous-mêmes inspirés. Êtes-vous disposés à pénétrer en vous-mêmes pour découvrir votre véritable nature?» David mentionna que de nombreuses entreprises recourent aux séances de motivation comme à des sparadraps pour panser une société méfiante mue par la concurrence déloyale.

«Les entreprises que préoccupent les questions morales exigent pourtant de leurs employés qu'ils se réunissent après le travail pour jouer au billard afin de favoriser leur symbiose. Mais ces employés préféreraient de beaucoup passer ce temps auprès de leur famille.»

Un lourd silence accueillit le discours de David. Y avait-il des questions? Des commentaires? Personne ne répondit. Que s'était-il passé? Il avait cru d'instinct que sa conférence produirait un excellent effet sur son auditoire, mais ses émotions ne le trompaient pas: il avait échoué. Il avait beau être certain de la sincérité de ses émotions, il se demanda très sérieusement s'il adresserait de nouveau la parole à un auditoire de gens d'affaires.

Mais David constata bientôt qu'on ne peut pas toujours être certain que nos émotions rendront compte exactement d'une situation: après sa conférence, on recueillit les commentaires formulés par les membres de l'auditoire. Ces commentaires étaient tous très positifs. Si l'intuition de David ne l'avait pas trompé, pourquoi ses appréhensions lui avaient-elles paru si justifiées? La réponse lui fut donnée par ces notes:

«Ce que vous avez dit est si vrai, si juste, que j'en suis demeuré bouche bée. Saviez-vous que notre journée de travail commence à 7 h 30 et se termine à 15 h? On nous a demandé de rester afin d'assister à votre conférence.»

Les propos de David avaient ému les responsables des ressources humaines ayant organisé l'événement au point où ils s'engagèrent peu après dans la bonne voie. Ils pouvaient au moins, constatèrent-ils, organiser des ateliers et des séances d'interaction pendant les heures de travail, et même engager du personnel à temps partiel afin de ne pas pénaliser les cadres intermédiaires qu'ils désiraient motiver.

En Occident, nous confondons souvent la réalité et les émotions. Le zen nous enseigne que cette confusion provient de ce que nos intuitions (soit notre expérience de la réalité) et nos émotions (soit nos réactions à cette réalité, fondées sur nos désirs) empruntent les mêmes canaux neurologiques. Pour bien distinguer les deux, il convient de savoir que l'intuition accepte les événements tels qu'ils se présentent («ah, c'est ainsi»), tandis que les émotions naissent du désir de les voir changer (ou se perpétuer, s'ils sont agréables).

Si nous étions en mesure de réprimer nos émotions, nous pourrions sans doute débarrasser nos canaux neurologiques de cette confusion et permettre ainsi à la connaissance de s'y répandre. Toutefois, tout comme je vous suggérais de ne pas tenter de composer avec un cerveau net de toute pensée, je vous propose une autre façon de composer avec vos émotions.

William James nous dit qu'il existe deux méthodes pour nous affranchir de la colère, de l'anxiété, de la peur, du désespoir, et ainsi de suite: «D'une part, se laisser submerger par une émotion contraire, d'autre part, résister jusqu'à l'épuisement, puis se rendre.»

Ainsi que je le disais précédemment, nous ne pouvons pas nous laisser submerger par une «émotion contraire», mais seulement créer le contexte qui permettra à ces émotions d'émerger. Si nous ne parvenons pas à réprimer nos émotions en transcendant la dualité du désir, du moins pouvons-nous nous épuiser à la lutte. Commençons par dire «Ah, c'est ainsi» lorsque survient une émotion.

Le moment est venu de tenir ma promesse et de vous dire ce qui est arrivé à Melissa. Au début de son heure de solitude, Melissa s'est apitoyée sur son sort, elle s'est culpabilisée et elle a éprouvé un sentiment de honte. Selon elle, son célibat était dû à ses faiblesses humaines. Elle n'était pas assez belle, ne possédait pas une personnalité assez attachante, habitait une ville pauvre en hommes disponibles. Elle ressassa ses défauts, ses lacunes, ses échecs, confondant ainsi ses émotions avec la réalité extérieure.

Puis, elle se remémora le psaume 88, cette fois en prenant conscience d'un détail qui lui avait échappé jusque-là. Les émotions véhiculées par ce psaume avaient beau être lourdes de désespoir, l'auteur les exprimait dans le contexte de sa foi religieuse, une foi si grande qu'elle parvenait à extérioriser la colère et l'abattement en sachant que ces sentiments noirs trouveraient grâce auprès de Dieu. Entraînée par sa réflexion, Melissa comprit que le seul démon qui habitait encore sa caverne était sa répugnance à donner libre cours à sa colère et à revendiquer son droit à la justice universelle. Dès cet instant, au lieu de se dire: «Comment puis-je améliorer ce qui cloche en moi?» elle s'aperçut que son dilemme dépassait les frontières de son expérience personnelle et qu'elle devait plutôt le formuler ainsi: «*Comment un être humain avec toutes ses imperfections peut-il vivre en paix dans un monde imparfait?*»

Melissa me donna de ses nouvelles quelques semaines plus tard. S'inspirant de ma propre démarche (à l'âge de quarante-six ans, j'avais entrepris des études de maîtrise en théologie à la Divinity School de l'université Vanderbilt), elle avait décidé de retourner aux études. Elle hésitait entre la psychologie, la philosophie et les études religieuses.

Plusieurs mois s'écoulèrent. Elle m'expédia une lettre dans laquelle elle m'annonçait avoir opté pour une formation en psychologie. Elle mentionna aussi en passant qu'elle était maintenant très liée à un camarade de cours et qu'elle avait retrouvé son estime de soi et sa confiance en l'avenir. Son désespoir et ses incertitudes s'étaient estompés.

Maintenant que nous avons une idée plus claire de la confiance qui doit nous animer, poursuivons notre étude des cinq étapes qui jalonnent notre traversée du néant.

4. La transfiguration

La transfiguration peut avoir lieu que votre réalité objective/extérieure semble ou non avoir été altérée. En psychologie, cette étape suit celle de la préparation et de l'incubation, soit l'«illumination», autrement dit l'émergence d'une nouvelle structure cognitive permettant à l'individu de percevoir les différents aspects d'un problème sous un jour nouveau et d'ainsi le résoudre. L'illumination de Melissa s'est manifestée en plusieurs étapes: la première fois lorsqu'elle a pris la décision de retourner aux études; la deuxième fois plusieurs mois plus tard quand elle s'est rapprochée d'un camarade de cours. Tel un caillou lancé dans la mare, cette élévation à un plan supérieur peut produire des remous des années durant.

Comme ce fut le cas pour Melissa, le passage à un plan supérieur peut entraîner des effets notables. Mais il arrive aussi que ces effets soient plus subtils, comme dans l'anecdote personnelle qui suit. Il y a quelques semaines, j'étais la proie de nombreux problèmes. Je devais terminer une importante dissertation; mes enfants étaient aux prises avec des difficultés qui réclamaient mon attention immédiate; je devais prendre une décision urgente concernant la mise en marché d'un de mes livres; un parent proche souffrait de graves ennuis de santé. Pour couronner le tout, je ne pouvais m'appuyer sur Dan autant que je l'aurais souhaité, car il était débordé de travail. Furieuse contre tout et tous, je claquai la porte et dévalai la pente jusqu'à mon refuge préféré: le lac Radnor. Radnor est, comme Waldon Pond, un paradis de la nature en plein cœur de Nashville, à un pâté de maisons de chez moi. Ce soir-là, le temps orageux se mariait à mon état d'esprit. Une pluie glacée me fouettait le visage. Les arbres penchaient vers moi leurs rameaux menaçants et le vent hurlait si fort entre leurs branches que personne n'aurait pu entendre mes cris de rage s'il s'était trouvé quelqu'un d'assez fou pour sortir par un soir pareil. Je me sentais si démunie... Aucune inspiration, aucune pensée inédite, aucun soulagement ne me semblaient possibles.

C'est ainsi qu'au plus creux de ma nuit je consentis à admettre que les problèmes que j'affrontais ne disparaîtraient pas comme par enchantement, que je ne dominais pas la situation et que j'avais parfaitement le droit d'être bouleversée et furieuse. Je me rendis compte que j'avais toujours cru de mon devoir de me montrer ferme et joviale, d'aider les membres de ma famille à résoudre leurs difficultés et de ne pas leur imposer mes propres ennuis. J'avais depuis toujours assumé un rôle qui m'interdisait d'être sincèrement et entièrement moi-même, mais je comprenais enfin que *j'avais le droit d'être sincèrement et entièrement bouleversée.* Au beau milieu du vent en rafales, cette pensée qui me semblait surgie de nulle part me donnait la permission d'éprouver un sentiment de défaite. Je ne dominais pas ma situation et j'avais le droit de m'en désoler.

Le mystique chrétien du XIVe siècle, Maître Eckhart, nous dit comment la révélation peut sourdre du néant: «En vérité, c'est dans les ténèbres que nous trouvons la lumière, si bien qu'au plus profond de notre détresse, sa flamme est au plus près de nous.»

5. L'émergence

L'émergence correspond à l'état psychologique appelé «phase de vérification», soit la phase au cours de laquelle le sujet s'assure de la validité du nouveau scénario de sa vie. Revivifié et animé d'une vigueur nouvelle, vous émergez de l'obscure nuit de l'âme impatient d'envisager la vie sous un tout autre angle et d'y participer pleinement. Animé d'une foi extraordinaire, vous récoltez gaiement les fruits de votre démarche spirituelle.

Les résultats se manifestent parfois d'une manière tangible au moment précis de cette émergence. Parfois, ils continuent de mûrir en secret pour éclore plus tard sous une forme que vous ne sauriez imaginer. Quel que soit votre destin, le moment d'émergence s'accompagne de la certitude que l'univers vise *à travers vous* un dessein plus vaste et bien au-delà de votre compréhension et de votre contrôle. Sur un plan plus profond, vous reconnaissez sans peine être parvenu à l'endroit qui vous est dévolu en ce moment précis et agir de votre mieux eu égard aux circonstances, à votre personnalité et au chemin parcouru. Vous vous sentez en harmonie avec les forces invisibles qui agissent par votre intermédiaire.

Cela ne signifie nullement que vous puissiez toujours plier les événements à vos désirs. Vous n'êtes pas à l'abri des erreurs. Vous n'êtes pas à l'abri des échecs. Mais lorsque vous émergez des ténèbres, vous acceptez les déceptions et les défaites que la vie vous impose en vivant pleinement les émotions qui les accompagnent et en poursuivant votre route avec ou sans elles. Vous savez qu'en dépit des complications apparentes de votre vie le chemin que vous empruntez pour accomplir votre destinée est le plus rapide et le plus direct qui soit. Seules vos limites humaines vous empêchent de voir clairement le grand dessein de l'univers. En vérité, il n'y a jamais d'impasse, que des aventures et des obstacles. La vie est un processus, non pas un but en soi.

Une telle vie trouve son fondement dans la foi. Il est sans doute impossible de démontrer la justesse de cette façon de vivre, mais elle représente sans aucun doute notre meilleure option. Ainsi que l'écrit Joseph F. Byrnes dans son ouvrage intitulé *The Psychology of Religion*: «La foi est un processus cognitif raisonnable fondé sur des probabilités.»

Dans *Feuilles d'herbe*, le poète Walt Whitman décrit comme suit le phénomène de l'émergence:

Oh! pouvoir affronter la nuit, l'orage, la faim, le ridicule,
les accidents, les rebuffades comme le font les arbres et les animaux!
Cher Camerado! Je t'ai entraîné avec moi, je le confesse, et te pousse
encore en avant sans connaître le but de ce périple,
sans savoir si nous vaincrons ou
si nous serons terrassés et défaits, sans recours.

*

Voilà les cinq étapes qui jalonnent notre traversée du néant. Nous avons vu qu'elles correspondent aux étapes que propose la psychologie. Mais, en dépit de leur fondement scientifique, elles ne forment pas une succession linéaire. Elles ne sont pas rationnelles. Elles ne sont pas davantage conscientes. Vous ne pouvez en aucun cas provoquer ce processus, mais seulement identifier votre objectif et décider de vous investir totalement dans ce qui surviendra. Il faut une bonne dose de courage pour se rendre ainsi disponible à l'inconnu, pour accepter de perdre le contrôle illusoire et le faux confort qui étaient les nôtres afin de plonger dans les tréfonds de notre conscience.

Si vous avez fait de votre mieux pour vivre pleinement vos émotions au cours de l'heure de solitude que vous vous êtes accordée sans que la grâce de la révélation vous soit donnée, vous vous reprocherez sans doute d'avoir manqué de sincérité. Manqué de sincérité par rapport à quoi? Voilà précisément le genre de pensée dualiste que la philosophie orientale s'efforce de surmonter en transcendant les émotions et que nous, Occidentaux, nous efforçons de surmonter en les épuisant.

L'émergence peut se manifester dès l'instant où vous renoncez à porter un jugement sur vos expériences vécues. Nous acceptons trop facilement la notion voulant que la pensée positive nous permettra de réaliser tous nos rêves. Mais que se passe-t-il quand vous sombrez dans la dépression? Êtes-vous condamné à l'échec? La vérité est qu'une attitude positive ne nous met nullement à l'abri des déceptions et qu'une dépression ne nous empêche nullement de connaître une expérience extraordinaire. Chaque situation nous place en face de cette vérité fondamentale: nul ne contrôle sa destinée.

Nous pouvons influencer le destin, nous devons même faire notre possible pour que les événements jouent en notre faveur. Mais là s'arrête notre pouvoir. Il est facile de l'oublier quand tout va bien. Les périodes de vaches maigres ont ceci de bon qu'elles nous permettent de percer à jour les illusions qui, en temps ordinaire, nous cachent l'horizon et d'apercevoir le mystère qui s'y déploie. N'oubliez pas que la réalité n'est ni le produit de vos émotions positives ni celui de vos sentiments de défaite. Des forces agitent votre vie qui dépassent vos humeurs et les émotions que vous ressentez. Influencez favorablement les circonstances que la vie vous envoie en exploitant vos aptitudes au maximum, et laissez la vie se charger du reste. Une telle action est possible que vous soyez triste ou heureux, anxieux ou optimiste.

Croyez sincèrement que tous les présents que la vie vous offre ont leur utilité, que vous les désiriez ou non. Lorsque vous cessez de vous débattre et d'insister pour que les circonstances soient différentes, vous vous harmonisez aux forces occultes de l'univers. Vous vous harmonisez au processus divin qui œuvre à travers vous.

L'esprit agit dans l'invisible. Telle une rivière, il s'écoule librement jusqu'à ce qu'il croise un obstacle. Puis il s'arrête et se gonfle de ses propres eaux jusqu'à pouvoir le franchir. Le *Yi-king* note ceci, que vous avez pu constater par vous-même: «Ce qui grossit sans cesse finit toujours par éclater.» Lorsque vous tentez de voir l'eau que dissimule le mur de la digue, elle vous demeure invisible jusqu'à ce qu'une goutte de trop l'amène à retomber de votre côté. Ainsi, le travail spirituel sincère n'est jamais perdu. Chaque goutte contribue à vous hausser. Ce processus est très efficace. Vous n'êtes sans doute pas encore prêt à réagir par «Bon, c'est ainsi» à tous vos problèmes et toutes vos expériences, mais vous pouvez certes surseoir à votre jugement jusqu'au coucher du soleil afin de permettre à votre cerveau actif de disposer d'une journée entière pour résoudre vos problèmes selon la méthode que je vous enseigne dans le présent ouvrage.

Vos émotions ne peuvent rendre une image fidèle de la réalité, mais elles sont utiles à quelque chose. Elles vous ouvrent le chemin qui conduit aux rouages secrets de vos structures cognitives. Progresser signifie accepter pleinement d'être où vous en êtes, peu importe les victoires ou les échecs que vous ayez connus, et puis passer tout simplement à l'étape suivante.

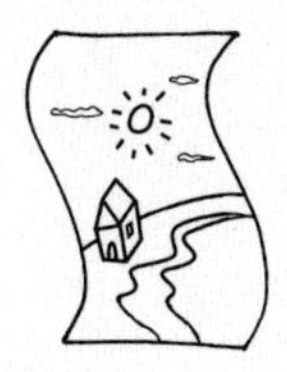

troisième heure

Le récit de votre vie

6
Le paradis perdu

Vous avez résolu votre problème; ou bien, vous ne lui avez pas encore trouvé de solution, mais vous avez confiance dans la méthode proposée par *Ne t'endors jamais le cœur lourd!*; ou encore, vous vous sentez à la fois déçu et bouleversé. Avant de passer à l'exercice suivant, voici une pensée pour ceux d'entre vous qui font partie de la troisième catégorie. Vous savez maintenant que je ne crois pas que les émotions soient conformes à la réalité. Mais cela ne signifie pas qu'il vous faille éviter d'y faire face dans votre vie quotidienne, ici et maintenant. En fait, vos émotions vous seront très utiles dans le prochain exercice et dans tous ceux qui suivront. Le secret consiste à apprendre à vivre vos émotions plutôt que de les laisser dominer votre vie.

Qu'est-ce que cela signifie? Pour prendre ses émotions en main, il convient de les envisager comme on envisage le temps qu'il fait. Vous ne pouvez pas faire briller le soleil ou apaiser la bourrasque. Si vous détestez le mauvais temps, vous vous réfugiez près d'un bon feu. Si vous devez absolument sortir, vous vous emparez d'un cache-nez, d'un parapluie ou de vos bottes, vous foncez dehors en grommelant et vous vous efforcez de rentrer au plus vite.

Si vous êtes de ceux qui aiment les orages, vous enfilez vos bottes et vous filez faire une promenade en plein bois. Ces deux réactions sont aussi valables l'une que l'autre. Votre attitude ne dépend que de vous et ne vous attirera pas le jugement d'autrui. Puisque le temps qu'il fait échappe à votre contrôle, vous n'y voyez qu'une occurrence indépendante de vous qui finira bien par passer.

Il en va de même de vos émotions. Le fait d'étayer votre descente ne signifie pas que vous ne ressentirez plus rien, mais bien que vous cesserez d'être au service de vos émotions. Si vous ne pouvez pas toujours les dominer, du moins pouvez-vous apprendre à cheminer à leur côté. Un orage fonce sur vous à 20 nœuds en provenance de l'ouest. Vous avez le choix: faire bouillir de l'eau pour le thé et attendre que la tempête s'apaise ou enfiler vos bottes et sortir jouer dans l'eau. Le lendemain aigre-doux vous réservera peut-être une belle surprise. Le beau temps revient tôt ou tard. C'est dans l'ordre des choses.

Le *Yi-king* nous enseigne que tout est toujours en mouvement, se renforce ou faiblit sans cesse. La nuit devient le jour, l'inondation fait place à la sécheresse. Lorsqu'une chose atteint son apogée, elle bascule aussitôt vers son contraire. Ce concept s'inspire de la nature. En prenant appui sur les cycles des saisons, les anciens Chinois ont compris que toute chose contient son antithèse: au plus fort de l'hiver, les fleurs du printemps se préparent à éclore. En automne, les feuilles retournent à la terre et fertilisent le sol. Ainsi, dans la tristesse la plus profonde, voilà qu'on éclate de rire en songeant aux possibilités nouvelles qui s'offrent à nous. Au sommet de la joie, une tristesse inexplicable nous envahit. Le moment où un affect se mue en son contraire est appelé le «moment décisif». Ces moments sont prodigues d'occasions favorables. Si vos émotions sont montées à la surface, reconnaissez votre chance. Le sage apprend à profiter de ces moments où l'émotion est à son comble pour pénétrer les secrets de ses processus cognitifs.

C'est plus facile à dire qu'à faire. Il y a un peu moins de deux ans, tout juste avant notre départ pour Nashville, Dan et moi avons réuni quelques-uns de nos amis de San Francisco pour une soirée d'adieu. Ceux-ci nous ont offert des tas de cadeaux touchants: une photographie dans un cadre en forme de cœur, une provision de café Peet's, du levain, et ainsi de suite. Je ne m'attendais pas à recevoir un présent qui puisse me bouleverser. Pourtant, vers la fin de la soirée, une de mes amies les plus chères et les plus sages m'offrit une petite sculpture inspirée de la spiritualité chinoise. Un personnage abattu enfouissait sa tête dans ses bras repliés. J'aurais apprécié ce cadeau si mon amie m'avait dit qu'il représentait la peine que lui occasionnait mon départ. Mais elle me dit espérer que cette statuette me porterait chance. Sur le coup, elle m'apparut plutôt comme un symbole de mal[illegible] moyen subtil et plutôt décourageant, elle m'assurait de sa prése[illegible] si mon rêve venait à s'écrouler. Je cachai la statuette au fond d'u[illegible] nombreuses caisses qui nous précédèrent à Nashville, celle sur laque[illegible] j'avais inscrit: «Bibelots — à ouvrir en dernier».

Plusieurs semaines plus tard, après m'être épuisée à déballer des caisses de casseroles, de lampes et d'équipement de bureau, je pus enfin trouver un moment de répit. Le cadre en forme de cœur trônait sur le piano, le percolateur dégageait l'arôme du café Peet's.

Mais au lieu du soulagement que j'attendais, j'éprouvai un terrible sentiment de perte pour tout ce que j'avais laissé derrière moi et d'angoisse face à la montagne que je devais maintenant gravir. Ce qui m'avait jusque-là paru stimulant — quoique terrifiant — ne parvenait plus qu'à me terroriser. La photographie en forme de cœur qui jusque-là avait su m'apaiser ne me suffisait plus. Je me faisais penser au petit garçon qui cherche à obturer avec son pouce le trou percé dans le mur de la digue.

Je me souvins de la boîte de bibelots, toujours scellée, et je l'ouvris. Plongeant mes mains dans l'emballage-bulle, j'y trouvai le trésor que je cherchais: ma statuette chinoise. Des milliers d'années auparavant, un inconnu, et quelques semaines auparavant, une amie, avaient tous deux compris les émotions dans lesquelles j'étais précipitée aujourd'hui. J'avais sous les yeux le bouddha triste, la nuance la plus sombre du présent que nous offre la vie: son éventail infini de couleurs. La statuette m'indiquait de pénétrer au cœur de ma souffrance plutôt que de la fuir et m'enjoignait de voir la main de Dieu dans ces notes les plus sombres de la gamme des émotions. Ce cadeau qui m'avait tant bouleversée à mon départ de San Francisco me procurait maintenant mon plus grand réconfort.

Votre tristesse est aussi vieille que le monde. Il est normal que vous vouliez résoudre vos difficultés et retrouver le goût de vivre. Tout vient à point à qui sait attendre. Mais vous devez d'abord comprendre que si vous êtes aujourd'hui confronté à un problème spécifique, ce n'est pas sans raison. Vos difficultés ne sont pas un obstacle à votre bonheur, mais bien le véhicule de votre passage à un plan supérieur. Tant que vous vivrez et évoluerez, vous devrez affronter des dilemmes. Vous

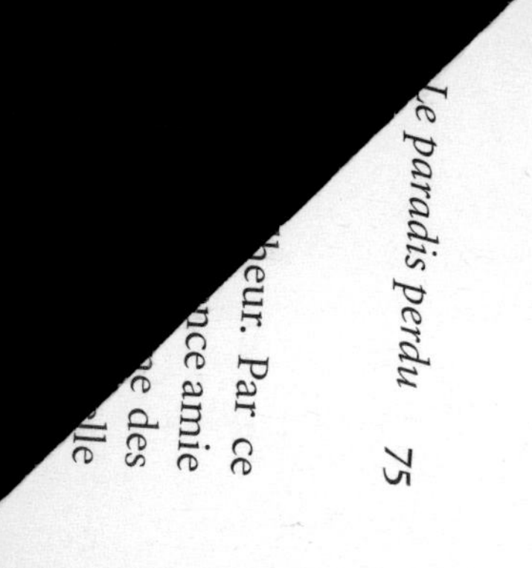

affronter ceux de la prochaine étape de
ie pas que vous vous condamniez à une
onnels, car, bien qu'il nous soit impossi-
nous pouvons apprendre à maîtriser nos
prendre à les laisser se manifester et faire
ans en éprouver de mépris de soi ou de
disposition pour y parvenir consiste à dire
la vérité. Vous serez toujours confronté à des difficultés, mais si vous dites la vérité, ces difficultés seront d'une qualité supérieure.

Commencez par admettre que le problème auquel vous êtes confronté aujourd'hui s'est déjà présenté, plusieurs fois et sous des formes différentes, à différents moments et dans des lieux divers. Il fait partie de votre vie, il s'enracine dans vos mythes personnels. Que signifie l'expression «mythes personnels»? Sam Keen et Ann Valley Fox nous l'expliquent dans leur ouvrage intitulé *Telling Your Story*:

> Tant et aussi longtemps que les êtres humains se transformeront et écriront l'histoire, tant et aussi longtemps que des enfants naîtront et que mourront les aînés, des légendes nous diront pourquoi la tristesse assombrit nos journées et pourquoi les étoiles scintillent dans la nuit. Nous inventons des histoires sur l'origine et la fin de la vie, parce que [...] ces histoires éclairent notre chemin et nous aident à trouver notre place au cœur du grand mystère.

Depuis les premiers temps du monde, il s'est trouvé des gens pour raconter leur vie sous forme de contes de fées et de récits mythologiques. Non seulement ces histoires nous aident-elles à découvrir le lieu de notre origine, elles contiennent aussi d'importants messages qui nous indiquent la route à suivre. Ainsi que l'explique le philosophe Rollo May: «Les mythes correspondent à la charpente d'une maison: invisible du dehors, elle soutient la structure où il nous est possible de vivre.» Vous êtes né au cœur de votre mythe originel. Votre histoire est celle dont vous êtes le héros.

Au commencement, vous étiez entier et heureux. Sans doute devrez-vous remonter très loin dans vos souvenirs pour retrouver ce moment, peut-être même jusqu'avant votre naissance. Il fut un temps où vous étiez au paradis. Puis, un événement s'est produit qui a rompu votre lien au divin et vous a propulsé dans la vie et ses aventures. Vous avez été soudainement confronté à des défis, à des problèmes. Votre quête et les solutions que vous trouvez à vos dilemmes sont le creuset de votre mythologie personnelle.

Cette mythologie est peut-être dynamique dans votre cas, comme celle des chevaliers de la cour d'Arthur, dont je parlais précédemment, qui permirent à leur curiosité de les guider dans la quête du Graal. Ils choisirent de renoncer au *statu quo* de leur vie quotidienne et de pénétrer dans la nuit obscure pour assumer leur destin. Une telle quête était digne d'eux et pouvait durer toute la vie.

Mais il se pourrait aussi que votre mythe originel, bien que satisfaisant à l'époque, n'ait pas eu l'ampleur et la profondeur de vision nécessaires à l'éclairement de toute une vie. Par exemple, vous avez peut-être choisi le thème de l'héroïsme, mais avec des ramifications très différentes: le modèle du Valeureux petit soldat de plomb. Dans ce conte traditionnel, le héros, qui s'éprend d'une danseuse en papier qui habite de l'autre côté de la pièce aux jouets, réprime d'abord l'expression de son amour, puis ses cris d'angoisse, afin de préserver son stoïcisme apparent. Après sa vaine mais courageuse tentative pour traverser l'abîme qui le sépare de sa bien-aimée, il tombe victime des circonstances et finit en plomb fondu. Sa ballerine adorée se consume jusqu'à n'être plus que cendre de papier.

L'on peut toujours partir ainsi en quête du Graal, mais le Valeureux petit soldat de plomb n'obéit pas à sa passion, il contre le rejet et la solitude. Il semble courageux et brave, mais il s'est engagé dans un scénario autodestructeur. Il feint l'héroïsme, mais il éprouve un sentiment de défaite. Une telle mythologie personnelle peut se révéler efficace à court terme, mais certes pas toute la vie.

Ce n'est là qu'un mythe parmi de nombreux autres. Pour chaque Valeureux petit soldat existe une Petite fille aux allumettes. Il existe des Samson et des Petites sirènes, des Elvis Presley et des princesses Diana. Les ouvrages de Joseph Campbell, de Carl Jung et de Clarissa Pikola Estes vous aideront à situer votre mythe personnel dans un contexte archétypal et historique. Mais que vous trouviez ou non votre modèle dans la littérature, vous pouvez entreprendre une démarche qui vous permettra d'identifier le mythe que vous avez adopté et qui contribue au problème auquel vous êtes confronté aujourd'hui. Ne cédez pas pour autant à la culpabilité et au remords. Ce mythe vous a sans doute été légué par vos ancêtres ou par votre structure génétique. L'important est qu'il en soit venu à faire partie de votre vie. Il vous a été utile dans le passé, sans quoi vous ne l'auriez pas supporté aussi longtemps. Mais retenez ceci: chaque dilemme qu'il aura contribué à résoudre avait son prix. Le moment est venu pour vous de payer la note.

À mesure que vous apprendrez à connaître votre mythe originel, vous comprendrez la signification et la raison de votre dilemme actuel. Vous situerez ce problème dans le contexte de votre histoire personnelle. Cela requiert beaucoup de courage, car vous devrez déceler la vraie nature des scénarios qui vous ont convenu jusqu'ici, et vous devrez pénétrer en terrain inconnu avec tous les risques qu'une telle aventure comporte, afin de vous créer une nouvelle et saine mythologie.

Nous avons abordé plus tôt la notion de cycles. Nous étudierons maintenant son lien avec votre mythologie personnelle. Les forces de la nature se livrent à une création et à une destruction continuelles afin de permettre aux nouvelles pousses de germer. Lorsque vous vivez pleinement, vous nettoyez sans cesse le terrain pour ce qui doit venir. Votre énergie vitale vous aide à améliorer votre sort plutôt qu'à conserver ce que vous possédez déjà. Votre vie peut devenir une spirale en expansion plutôt qu'un cercle fermé. Où vous situez-vous, en ce moment précis, sur cette spirale? Êtes-vous près de son point de départ, les yeux à demi fermés, en train de tourner en rond autour de problèmes qui vous apparaissent insurmontables? Ou avez-vous entrepris l'ascension de la spirale en abandonnant le passé afin d'apercevoir toutes les possibilités qui s'offrent à vous? Au prochain tournant, la solution à votre problème surgira spontanément à votre esprit.

Voici venu le moment d'entreprendre la démarche de la troisième heure: l'évaluation de votre mythe originel et l'engendrement d'un mythe nouveau qui soit enfin digne de vous.

Démarche:
Placez votre problème dans son contexte

Ceci est un exercice écrit. Remémorez-vous l'exemple tiré du *Yi-king*: l'eau qui bout sur un feu de bois. Vous devez vous efforcer de trouver le point d'équilibre entre la pensée et l'intuition, là où les forces qui permettent à l'eau de bouillir se trouvent en harmonie.

Afin de vous aider à trouver ce point d'équilibre, je vous poserai une série de questions qui vous feront recourir à vos fonctions cognitives rationnelles (notamment la mémoire et la déduction) et aux fonctions plus intuitives qui ont été jusqu'à présent notre unique instrument de travail.

Au cours de l'heure qui suit, vous devrez découvrir le sens caché de votre mythe originel et vous efforcer de découvrir les racines de votre dilemme actuel dans les solutions passées. Muni de cette matière première, vous pourrez concevoir un mythe nouveau apte à résoudre votre difficulté présente, et énergiser votre vie en vous harmonisant à l'ordre caché de l'univers.

Ce n'est pas une démarche de tout repos. Vous vous demandez sans doute maintenant si le problème que vous avez choisi de résoudre aujourd'hui est le bon. Vous pourriez douter de vos réponses, de vos choix et de vos réactions intuitives. Détendez-vous.

Dans leur ouvrage sur la mythologie personnelle, les chercheurs David Feinstein et Stanley Krupps nous font découvrir un phénomène baptisé «principe holographique»:

> Chaque partie d'un hologramme contient des informations provenant de toutes ses autres parties. De la même manière, le mythe que vous étudiez englobe fondamentalement toute votre structure mythique. L'étude d'un de ses aspects a des répercussions dans plusieurs domaines. Il est beaucoup moins important de choisir ce que votre rationalité vous indique comme étant le conflit «idéal» que d'opter pour un aspect qui vous émeut.

Grâce au principe holographique, vous n'avez pas à vous inquiéter de faire les choses correctement. Il vous suffit de répondre dans l'ordre à chaque question posée. Résistez à l'envie de lire les questions suivantes. Abordez-les une à la fois en vous accordant quelques minutes pour choisir la réponse la plus sincère qui vous vienne à l'esprit avant de la noter. Si l'inspiration ne vient pas, inventez quelque chose. Écrivez tout ce qui vous passe par la tête. Vous n'avez pas de papier? Allez en chercher. C'est parti.

* Notez vos réponses aux questions qui suivent:

1. Quel est votre premier souvenir heureux? Remémorez-vous une occasion où vous vous êtes senti entier, branché, heureux, comblé. Notez le plus de détails possible. Où étiez-vous? Quels vêtements portiez-vous? Qui était avec vous? Que s'est-il passé? Qu'avez-vous ressenti?

2. Qu'est-ce qui a mis fin à ce bonheur? Qu'est-ce qui vous a empêché de continuer à éprouver ce sentiment d'entièreté, de bonheur, de vitalité? Où étiez-vous? Quels vêtements portiez-vous? Quels souliers chaussiez-vous? Qui était à vos côtés? Que s'est-il passé? Encore une fois, notez le plus de détails possible. N'essayez pas d'être exact. Contentez-vous de noter cet événement en tenant compte de toutes les émotions qu'il suscitait en vous.

3. Pour quelle solution avez-vous opté? Comment avez-vous composé avec cette interruption? Qu'avez-vous fait? Imaginez-vous au moment où cette solution a pris forme et où vous avez su quoi faire pour survivre. Pour quels changements avez-vous opté? Quelles ont été vos premières actions? Quelles décisions avez-vous prises à la suite de cette interruption? Quelles valeurs avez-vous adoptées?

4. Quelles ont été les conséquences positives de votre solution? En quoi cette solution vous a-t-elle été bénéfique? Comment a-t-elle apaisé votre souffrance? Comment vous a-t-elle aidé à survivre? Comment vous a-t-elle protégé? Visualisez un moment où cette solution vous a apporté des bienfaits. Qui était auprès de vous? Quels vêtements portiez-vous? Où étiez-vous? Quels autres souvenirs gardez-vous de cet incident?

5. Quel a été le prix de cette solution? Quelles en ont été les conséquences néfastes? Qu'avez-vous dû sacrifier? Quel autre problème a-t-elle entraîné à sa suite? Remémorez-vous une circonstance où cette solution vous a occasionné des souffrances. À quoi avez-vous dû renoncer? Qu'avez-vous ressenti?

6. De quelle façon ce sacrifice de naguère vous affecte-t-il encore aujourd'hui? En quoi est-il relié au dilemme que vous désirez résoudre en ce moment?

Posez votre plume et inspirez profondément à plusieurs reprises. Si vous ne ressentez pas encore les émotions reliées à ces questions, le moment est venu d'approfondir cette démarche. Étayez vos émotions encore une fois et accordez-vous la permission d'éprouver pleinement les sentiments que suscitent mes six questions. Abandonnez-vous tout à fait à votre hémisphère droit et laissez courir votre imagination. N'essayez pas de guider votre plume et d'influencer vos réponses. Permettez plutôt aux images de surgir spontanément à votre esprit. Plus ces images seront fantaisistes, éclatées, étranges ou irrationnelles, mieux ce sera. Ayez du plaisir à faire cet exercice, même si ce «plaisir» s'accompagne de soupirs et de larmes. Tout est permis: votre récit peut inclure des dragons, des soucoupes volantes, des personnages de la littérature, tout et n'importe quoi.

Êtes-vous prêt?

On y va. Racontez-moi le mythe qui dirige votre vie.

Démarche:
Votre mythe personnel

Commencez par ces mots:

1. «Il était une fois un petit enfant heureux qui s'appelait...»

Lorsque vous aurez imaginé la situation idyllique de cet enfant dans tous ses détails, poursuivez votre récit avec les mots qui suivent:

2. «Puis quelque chose de terrible vint à se produire.»

Après avoir décrit cet événement terrible en détail, continuez avec les mots suivants:

3. «Le valeureux petit enfant sut ce qu'il devait faire.»

Dites comment l'enfant a résolu son dilemme. Quelles aventures a-t-il vécues ensuite? Quels combats a-t-il dû mener? Dans quelle quête s'est-il engagé à la suite de cet épouvantable événement? Quel a été le dénouement de ses aventures? Quand vous en aurez fini avec cette partie de votre récit, venez-en à sa conclusion en commençant par ces mots:

4. «Et ils vécurent heureux jusqu'à la fin de leurs jours.»
Prenez le temps de faire la fête. Si vous ne pouvez pas célébrer les vertus littéraires de votre récit, célébrez au moins l'effort que vous lui avez consacré. Nous allons passer à la prochaine étape. Mais auparavant: quels sont les enseignements de ce mythe? La fin s'harmonise-t-elle avec le reste de l'histoire? L'expression «heureux jusqu'à la fin de leurs jours» détonne-t-elle? Vous semble-t-elle juste ou erronée? Enfin, réfléchissez au thème qui le sous-tend et aux leçons que vous pouvez en tirer. Écrivez maintenant la morale de votre récit:

5. «La morale de cette histoire est...»
Allez-y. Avant de poursuivre votre lecture, efforcez-vous, en une ou deux phrases seulement, de dégager la morale de ce récit.

J'ai maintenant une question à vous poser. Cette morale vous convenait sans doute dans le passé, mais vous convient-elle encore? Avez-vous dépassé le stade de ce mythe? N'êtes-vous pas prêt à inventer un nouveau scénario? Vous saurez si ce mythe représente encore pour vous quelque chose de vital en répondant à une dernière question:

La morale que vous venez d'écrire peut-elle contribuer à résoudre votre dilemme actuel?

Si la réponse est affirmative, bravo! Vous avez trouvé une solution à votre problème avant le coucher du soleil. Vous n'avez eu qu'à fouiller la sagesse de votre récit de vie et à l'appliquer à votre situation présente.

Si la réponse est négative, bravo quand même! Vous vous êtes hissé sur un plan de conscience supérieur. Ce nouveau plan spirituel mérite que vous lui créiez un nouveau mythe. L'occasion vous en est donnée maintenant. N'est-ce pas apaisant de savoir que rien dans votre passé ne peut vous dicter votre conduite actuelle ni comment vous devez réagir aux difficultés qui se présentent à vous? Quelles que soient les circonstances extérieures de votre vie, votre univers intérieur n'appartient qu'à vous. Si vous savez en assumer la responsabilité, il sera le creuset de votre liberté.

Prenez le temps d'en faire l'essai: retournez à votre récit et récrivez-le pour le faire correspondre à la réalité que vous souhaitez être aujourd'hui la vôtre. Vous pouvez recourir aux mêmes entrées en matière que je vous proposais (paragraphes 1 et 2). Mais donnez à votre récit un autre dénouement. Aux paragraphes 3, 4 et 5, faites l'essai de différentes intrigues jusqu'à ce que votre héros ou votre héroïne obtienne le résultat qu'il mérite, le résultat qui pourra vous aider aujourd'hui. De la sorte, vous affronterez mieux les défis de la vie qu'en recourant au mythe suranné qui ne vous est plus aujourd'hui d'aucun secours.

7
Faites honneur à votre récit

Nous ne voyons pas les choses telles qu'elles sont. Nous les voyons telles que nous sommes.

Le Talmud

VOTRE MYTHOLOGIE est le reflet de la personne que vous êtes en ce moment et elle vous permet de comprendre la place qu'occupe le dilemme auquel vous êtes confronté dans le contexte de votre vie. Si vos efforts n'apportent pas les résultats escomptés, rappelez-vous que, tant et aussi longtemps que vous vivrez, vous n'êtes pas encore parvenu à la fin de votre histoire. Si vous n'aimez pas votre mythe personnel, vous pouvez le récrire en tout temps.

Je me souviens de la première fois que j'ai donné à faire cet exercice à l'occasion d'un atelier. Un amie, Stacy, s'était portée volontaire. Je savais qu'elle était une mère exceptionnelle, mais qu'elle se laissait parfois submerger par les réussites et les déceptions de ses deux filles. Lorsque l'une d'elles décrocha un rôle dans une pièce de théâtre, sa mère fut aux anges. Lorsque son autre fille ne reçut pas une invitation fort convoitée, elle crut avoir échoué dans son rôle de mère. C'est à ce moment désespéré de sa vie que je lui demandai d'écrire le récit mythologique de sa vie. Je la priai de ne pas se soucier d'exactitude, mais de se laisser guider par ses émotions et son intuition. Voici son récit:

> Il était une fois une jeune princesse du nom de Savannah qui était l'enfant préférée de son père, le roi, et de sa mère, la reine. Puis survint un terrible événement. Une guerre épouvantable opposa le royaume de ses parents à un royaume voisin, et la jeune princesse fut capturée par l'ennemi, le cruel chevalier Marduk. Le cruel chevalier emporta Savannah dans ses lointains domaines où il la garda en otage dans son château. Ignorant tout de cela, Savannah crut qu'elle y demeurerait jusqu'à la fin de sa vie, et cette pensée lui était insupportable. Savannah eut envie de se débattre et de crier, mais elle jugea cette réaction trop dangereuse. Elle chercha plutôt à s'enfuir, mais elle n'y parvint pas.
>
> Soudain, la courageuse petite fille sut ce qui lui restait à faire. Elle choisit d'obéir à son geôlier, d'être encore plus docile qu'il ne l'espérait. Ainsi parviendrait-il sans doute à l'aimer et à lui permettre de rentrer chez elle. Quand la vaisselle du chevalier était sale, Savannah la lavait. Quand il était triste, elle dansait pour lui. Entre-temps, à l'insu de Savannah, le chevalier cruel négociait une rançon avec les parents de la princesse. Quand l'argent lui fut enfin parvenu, Marduk était si amoureux de la princesse qu'il ne parvenait plus à se séparer d'elle. Aucune somme d'argent n'aurait suffi à le convaincre de la libérer. Ignorant tout des efforts de ses parents pour la retrouver, Savannah continua de partager la vie du cruel chevalier et en vint à l'aimer autant que lui l'aimait. Ils vécurent heureux jusqu'à la fin des temps.
>
> La morale de cette histoire est la suivante: quand vous avez des ennuis, réprimez vos émotions afin de survivre. Si la vie ne vous donne pas ce que vous souhaitez, vous apprendrez à apprécier ce qu'elle vous offre.

Stacy n'aima pas cette histoire. Quand elle voulut appliquer sa morale aux circonstances qu'elle devait affronter, soit la certitude d'être une mère inapte, elle souffrit encore davantage. Je lui suggérai de récrire son histoire. Elle accepta d'emblée. Plus tard, elle déclara à mes autres cobayes s'être mise à l'écoute de sa compassion envers la princesse qui avait agi au meilleur de sa connaissance. Le prix qu'avait dû payer Savannah lui était apparu dans toute son évidence. La princesse était devenue victime du véhicule même de sa fuite: sa faculté de plaire. Si elle avait suivi son impulsion première qui lui commandait de se défendre avec vigueur, elle aurait pu s'affranchir de la violence subie et rentrer chez elle. Devant cette constatation, Stacy récrivit son histoire.

Cette fois, la petite princesse sut exactement ce qu'elle devait faire. Elle saisirait toutes les occasions de dire à Marduk qu'elle voulait retourner chez ses parents et n'aurait de cesse de lui souligner sa cruauté. Si Savannah se montrait vraiment désagréable, il finirait bien par la laisser partir. En effet, quand Marduk reçut la rançon demandée, il ne fut que trop heureux de renvoyer la princesse chez elle. Et Savannah vécut bien plus heureuse jusqu'à la fin de ses jours.

La morale de cette version révisée fut la suivante: *Il est préférable de rester fidèle à soi-même, quitte à en récolter des ennuis, que d'étouffer sa véritable nature afin de fuir les problèmes.*

Lorsqu'elle appliqua cette morale à ses conflits de mère, elle trouva la solution qu'elle recherchait. Elle avait cru que si ses enfants s'efforçaient de plaire davantage à leur entourage ils n'auraient pas de problèmes (l'invitation attendue serait arrivée). Mais la leçon tirée de son récit lui fit comprendre qu'elle préférait voir ses enfants respecter leur nature véritable plutôt que de renoncer à leur authenticité, quitte à jouir d'une popularité moindre.

Loin de s'attrister de cet «échec», Stacy apprécia l'aptitude de ses enfants à ne pas se renier eux-mêmes. Au lieu de se reprocher ses lacunes en tant que mère, elle éprouva de la fierté. Il y avait là un revirement complet de la situation. Le dilemme qu'elle avait espéré résoudre avant le coucher du soleil avait disparu comme par enchantement. Cela seul aurait suffi à la rasséréner. Mais ce ne fut pas tout.

En repensant à son premier récit, Stacy comprit quelle somme d'énergie elle avait investie dans son désir de plaire pour être aimée en retour. Elle avait sacrifié sa nature même en échange d'un confort relatif. En confondant amour et protection, elle avait cru inconsciemment que ses enfants ne sauraient l'aimer que dans la mesure où elle parviendrait à les protéger des vicissitudes de l'existence. Ses réussites en ce domaine l'avaient gonflée d'orgueil, et elle s'était amèrement reproché ses échecs.

Renoncer à la fierté et au sentiment d'échec qui avaient balisé sa vie de mère pendant tant d'années équivaudrait à s'avouer incapable d'influencer le destin de sa fille. Un être humain aussi «inutile» avait-il sa place dans la création? Pour faire sien son récit révisé, Stacy devrait assumer un risque immense. Que se passerait-il si rien ne venait remplacer son désir de plaire et de protéger ses êtres chers? Que se passerait-

il si on la fuyait parce qu'elle devenait fidèle à sa nature? *Qu*
de la rançon?

Nous ne devons pas prendre à la légère le rejet de nos mytho
révolues. Les questionnements de Stacy sembleront superficiels,
pathétiques, à un témoin de l'extérieur. Mais du point de vue de St
ils étaient une question de vie ou de mort. En fait, la survivance de s
nature même était en jeu.

Le mythe personnel qui lui avait été d'un si grand secours pendant tant d'années avait perdu toute son efficacité. Si je ne l'avais pas incitée à récrire son histoire, sans doute aurait-elle continué de croire que son bonheur futur dépendait de l'invitation transmise à son enfant. (J'ai vu plus d'une personne s'embourber dans le malheur pendant des mois, des années, des décennies et même jusqu'à la fin de ses jours pour un détail aussi futile que le fait de ne pas figurer sur une liste convoitée: celle qui permet de s'inscrire à une excellente faculté de médecine ou de faire partie d'une équipe de natation.) Au contraire, Stacy se rendit compte qu'elle s'inquiétait de la vie de ses filles au point d'en oublier la sienne. Elle n'avait pas pour tâche de leur assurer un avenir brillant. Elle devait les aimer, quoi que le destin leur réserve. Vivre sa propre vie et savoir quand ne pas se mêler de celle de ses enfants... le jeu en valait la chandelle. Il lui faudrait faire preuve d'une grande discipline, mais ses efforts seraient récompensés.

Il faut être animé d'une grande foi et d'une certaine spiritualité pour être en mesure de s'affranchir de ses anciens mythes. Si vous voulez aller de l'avant, vous devez faire le deuil de ce qui ne vous est plus d'aucun secours et subir les conséquences de vos anciennes solutions tout en comprenant que vous n'aviez pas d'autre choix, alors, que de recourir à ces moyens extrêmes. Mais un courage encore plus grand sera requis lorsque vous voudrez vous pardonner d'avoir créé ce premier mythe. Qui plus est, vous devrez vous féliciter à la fois de l'avoir mis au monde et d'accepter de le remettre aujourd'hui en question. La vie est une succession d'étapes. Nous devons apprécier non seulement la personne que nous sommes en train de devenir, mais aussi celle que nous avons été.

Dans son ouvrage intitulé *Gift from the Sea*, Anne Morrow Lindbergh écrivait ce qui suit:

à survivre au flux et au reflux de la vie? ffronter le creux de la vague? On le com- le calme du jusant cache une autre vie quelles n'accèdent pas les humains. Dans ce on et de suspense, les royaumes secrets des abysses [...] Sans doute est-ce la plus grande leçon que m'a vie au bord de la mer: la conscience de l'importance de mouvement des marées, de l'importance de chaque vague, de portance de chaque cycle qui marque une relation. Et mes coquillages? Je les enfouis dans ma poche. Ils servent à me rappeler l'éternel va-et-vient de la mer.

quatrième heure

La stupéfaction, ou le coup de foudre

8
Des forces occultes

LORSQUE VOTRE MYTHE personnel a perdu sa raison d'être, vos certitudes devenues inefficaces obstruent, avec la peur et l'anxiété qui les accompagnent, le pipeline qui vous relie à votre intuition. Nous avons consacré les premières heures de cette journée au nettoyage de ces débris, nous en avons retranché un nombre suffisant pour permettre à la lumière et à l'air de filtrer. Les exemples que je vous ai donnés — et, j'ose espérer, votre banque de données personnelles — vous ont démontré que, lorsque les méthodes actives de votre hémisphère gauche cèdent la place aux méthodes intuitives de l'hémisphère droit, vous jouissez d'une vision plus claire et d'une intuition accrue. Que vous ayez ou non trouvé une solution satisfaisante à votre dilemme, vous êtes à tout le moins plus disposé, et mieux en mesure de le faire, à troquer la certitude illusoire que vous avez de contrôler votre destinée pour une notion plus limpide de la réalité. Plus vous acceptez de voir les choses telles qu'elles sont, meilleures sont vos décisions. Pourquoi? Parce que vous êtes en contact avec la vérité des choses. Sans doute n'appréciez-vous pas les faits, mais au moins vous savez qu'ils sont conformes à la réalité. Si, après avoir lu *Ne t'endors jamais le cœur lourd!*, vous ne parveniez qu'à clarifier votre vision et à accroître votre perception, ce serait déjà un pas dans la bonne direction. Vous deviendrez apte à résoudre vos problèmes et à gérer votre vie plus efficacement. Vous trouverez rapidement et intuitivement des solutions à vos dilemmes. Mais je crois qu'il y a plus. Souvenez-vous que les méthodes que nous préconisons dans *Ne t'endors jamais le cœur lourd!* se fondent sur trois hypothèses. J'ai un secret à vous dire: il en existe une quatrième. Avant que je vous en fasse part, revenons un moment sur les trois premières.

Première hypothèse: L'univers est soumis à un ordre invisible.

Deuxième hypothèse: Notre salut consiste à nous ajuster harmonieusement à cet ordre invisible.

Troisième hypothèse: Les causes de notre mauvais alignement avec l'univers sont fortuites et surmontables.

Ces trois premiers énoncés jettent un pont entre vos approches actives et rationnelles et vos réactions intuitives. Mais quelle que soit la spiritualité qui les sous-tende, ils *vous* rendent responsable de votre harmonisation à l'ordre caché des choses. Il semble que la tâche de vous ajuster aux puissances universelles *vous* incombe. *Vous* devez surmonter les obstacles qui vous séparent de cette harmonie ultime. *Vous* devez relever le défi de vivre à fond.

Ces trois hypothèses sont fondamentales, mais sans la quatrième, non seulement sont-elles incomplètes, mais encore peuvent-elles vous orienter dans la mauvaise direction. Car vous n'êtes pas seul responsable de vos actes. Lorsque vous acceptez avec sincérité de vivre à fond, vous permettez à des forces qui dépassent votre entendement de contribuer à la solution de vos problèmes.

Vous vous souviendrez que nous avons défini l'intuition comme «une influence spirituelle spontanée qui permet à un individu de penser, de parler ou d'agir au-delà de ses aptitudes habituelles». Nous avons souvent mentionné ces forces occultes. Vous avez nettoyé les chemins qui vous relient à celles-ci en toute conscience, vous vous êtes livré au travail intérieur qui s'imposait, vous vous êtes préparé à cette harmonisation. Maintenant, le moment est enfin venu de vous dégager de votre volonté consciente et de vos responsabilités. Ce faisant, vous favoriserez une interaction spontanée entre vous et ces forces invisibles.

Pour William James, dans un tel état d'esprit «notre volonté de nous affirmer et de ne pas nous en laisser remontrer cède la place au désir de nous taire et d'accepter de n'être rien qu'un instrument soumis à la volonté de Dieu».

Je propose donc que la quatrième hypothèse se lise comme suit:

Quatrième hypothèse: Des forces qui dépassent votre entendement contribuent déjà à la résolution de vos problèmes.

Aucun état d'esprit particulier n'est requis pour que vous preniez soudainement conscience de ces forces occultes. En fait, vous pourriez être bouleversé, déprimé ou anxieux, et en éprouver la présence. Afin que votre rapport à ces forces parvienne au plan de la conscience, vous devez troquer votre rationalité pour une réceptivité spontanée à l'extraordinaire, du moins provisoirement. Ce glissement peut être une partie intégrante du processus, se produire en même temps que lui, ou même être une des fonctions premières de ces forces invisibles. Plutôt que d'obéir au scénario linéaire de la cause à l'effet, où la prédominance de l'hémisphère gauche est la condition préalable, une telle transformation s'enracine *toujours* dans des forces occultes plutôt qu'en vous-même. Ainsi, aucun état d'esprit particulier n'est nécessaire pour qu'elle se produise. La transformation n'exige de vous que l'abandon. En 1854, Henry David Thoreau relata une illumination de cet ordre qu'il connut au cours de son séjour solitaire à Walden Pond.

> Quelques semaines après mon arrivée en forêt, j'ai cru un moment que le voisinage des hommes fût essentiel à une vie saine et heureuse. La solitude est un peu désagréable. Mais tandis que tombait une pluie fine et que je m'abandonnais à ces pensées, je fus tout à coup saisi par la douceur et la bienveillance de la nature, présentes dans le crépitement de la pluie, dans tout ce que je voyais et entendais autour de la maison, par une amitié inexplicable et infinie, telle une atmosphère qui me soutenait. [...] La plus petite aiguille de pin s'enflait et s'augmentait d'un élément qui m'était apparenté, si bien que j'en acquis la certitude qu'aucun lieu ne me serait plus jamais étranger.

Cette expérience transformatrice peut prendre plusieurs visages — de la calme prise de conscience de Thoreau au bouillant «Eurêka!» d'Archimède; de la transe du chaman sud-américain à l'extase des prophètes de la Bible. (Lors de sa première rencontre avec le divin, le prophète Ezéchiel resta sept jours «comme hébété» à la suite de ce grand tumulte.) Quel que soit le visage de cette révélation, tous ceux qui ont été mis en face de telles forces occultes partagent la même expérience: ils savent qu'un événement extraordinaire s'est produit et qu'ils en ont été transformés.

En ce qui me concerne, j'ai pour la première fois pris conscience de mon rapport à des forces supérieures dans des circonstances tout à fait extrêmes et si terrifiantes qu'il m'a fallu attendre dix-sept ans avant d'être en mesure d'en parler. Cet événement fondamental m'a mise devant un choix pénible: changer de vie ou mourir.

J'avais trente ans. Mariés depuis dix ans et trop préoccupés de nous-mêmes pour songer à avoir des enfants, Dan et moi nous maintenions dans un équilibre instable à la frontière de l'adolescence et de l'âge adulte. Nous nourrissions des rêves, nous étions remplis de dynamisme, mais nous étions parvenus à un moment crucial. L'agence de relations publiques que j'avais fondée à San Francisco commençait à peine à s'épanouir, mais les aspirations musicales de Dan nous appelaient à Los Angeles ou à Nashville, deux des grands centres de cette industrie. Aucun de nous n'acceptait de céder aux désirs de l'autre, non pas parce que nous ne nous aimions pas, mais parce que chacun de nous croyait à la suprématie de son potentiel créateur et que nous appréhendions de rester sourd à l'appel de nos dons respectifs.

Dan prit la décision d'aller voir ce que ces hauts lieux de l'industrie musicale pouvaient lui offrir, et je demeurai à San Francisco. Je savais que nous étions à une croisée de chemins, mais je ne parvenais pas à décider lequel des embranchements nous ferait faire un pas en avant et lequel favoriserait notre régression. Devais-je accompagner Dan? Dan devrait-il rester à San Francisco? Devrions-nous rester ensemble ou nous séparer? Pour éviter de me tromper, je choisis de ne rien faire. J'espérais sans doute que nos problèmes disparaîtraient et que la vie continuerait comme avant. Entre-temps, Dan avait engouffré ses valises dans sa vieille Studebaker et il était parti. C'est ainsi que, par un soir inhabituellement torride, j'éteignis les lumières de notre chambre dans notre maison victorienne de California Street, et je m'efforçai de dormir.

Au milieu de la nuit, un cambrioleur trouva ce qu'il cherchait: une fenêtre ouverte au rez-de-chaussée. C'était Dan qui, le soir, verrouillait les fenêtres et les portes, tandis que je me prélassais dans l'illusion puérile voulant que rien de mal ne pouvait m'arriver. Je ne divorcerais jamais, le temps serait agréable et doux les soirs de pleine lune, et je n'avais nul besoin de fermer les fenêtres et les portes avant d'aller dormir.

Puis, soudain, une main gantée me saisit à la gorge, étouffant le cri que, dans ma terreur, je n'eus pas la force de lancer. L'autre main tenait un rasoir à lame. Le cambrioleur portait un masque et des vêtements en cuir noir. La mort était dans ma chambre et me serrait la gorge.

«Donne-moi ton argent!» grogna-t-il en me poussant vers la commode.

Je n'avais pas d'argent à la maison. Dan s'occupait des questions financières. Je ne savais même plus très bien où se trouvait mon sac à main. Tandis que j'hésitais, je sentis le rasoir effleurer ma poitrine; du sang s'écoula sur ma robe de nuit; le temps s'arrêta. Les secondes qui suivirent, moins d'une minute en fait, me parurent une éternité. J'eus tout à coup conscience de la réalité. J'entendis distinctement une voix intérieure qui me disait:

Veux-tu vivre ou mourir? Tu as le choix. Tu peux opter pour la voie de la facilité; tout prendra fin en quelques minutes. Ou bien, tu peux remettre ta vie entre mes mains et repartir de zéro. Ce sera pénible, ce sera douloureux, mais le jeu en vaudra la chandelle. La décision t'appartient. Décide. Maintenant.

Cette voix était celle de la vie elle-même qui m'offrait une solution dépassant de loin la situation de crise dans laquelle je me trouvais: elle rejoignait les racines mêmes de ma façon de vivre. J'avais cru jusqu'alors que j'étais destinée à réussir. Ma vie était synonyme de confort et de satisfaction dans tous les domaines. Les ambitions de Dan bouleversaient cette notion. Dieu avait été injuste envers moi en me niant ce que je désirais. J'étais soudain confrontée aux conséquences de mes choix de vie.

Tu veux emprunter la voie la plus facile? Celle où il n'est pas nécessaire de verrouiller les portes et où l'amour n'exige rien de toi? Voici la solution, l'instrument qui peut t'extirper de ta souffrance: ce rasoir à lame appuyé sur ta gorge.

La situation était insoutenable. Il n'y avait pas d'issue. Pourtant, je perçus tout à coup la réponse claire et simple à mon dilemme.

OUI! Je veux vivre. J'accepte tous les ennuis de la vie, les responsabilités, la douleur et les frustrations qui l'accompagnent. Je veux tout. Je comprends maintenant que cela en vaut la peine. Aidez-moi à survivre à ce moment et je serai à Vous, je serai un instrument entre Vos mains jusqu'à mon dernier souffle.

Dès cet instant, mon corps et ma voix furent animés d'une vie propre. Je ne les contrôlais plus. Je prononçai des paroles qui dépassaient ma pensée, dis des choses que j'ignorais connaître, agis comme je n'aurais jamais cru possible de le faire. Bref, je persuadai le cambrioleur de m'accompagner, tout en maintenant le rasoir sur ma gorge, jusqu'au rez-de-chaussée où, lui dis-je, nous cachions notre argent. Puis je le conduisis vers un tiroir que je n'avais encore jamais ouvert. Lors de notre emménagement dans cette maison victorienne, Dan y avait déposé à mon insu une paire de grands ciseaux. Je m'en emparai et, me retournant d'un coup, les plongeai dans la poitrine du cambrioleur. Les ciseaux ne pénétrèrent guère ses vêtements, mais mon geste le surprit suffisamment pour qu'il relâche son emprise et disparaisse dans la nuit.

Depuis cette nuit funeste, je n'ai jamais douté de la présence de forces occultes dans ma vie. Bien des choses ont changé pour Dan et pour moi depuis cet incident qui nous a bouleversés tout autant l'un que l'autre. Nous avons compris que notre amour était aussi important pour nous que nos rêves, et qu'il méritait tous les sacrifices. Nous avons admis que la vie était plus complexe que nous ne l'avions naïvement cru. Je me mis à verrouiller les portes, à participer à la gestion de nos finances, à étudier les arts martiaux. Dan et moi avons formé équipe, d'abord en tant que partenaires dans la danse de la vie, puis, neuf mois plus tard, en tant que jeunes parents. Nous avons appris la valeur du compromis qui préserve l'amour, le peu d'importance de la gratification immédiate. Nous nous sommes efforcés l'un et l'autre de nourrir nos rêves, de rallier nos forces devant les injustices du destin et de célébrer nos triomphes. Les ramifications de cette funeste nuit continuent de se multiplier. Notre fils vient d'avoir seize ans, notre fille dix ans, et l'agence Dan Orsborn Public Relations de Nashville vient de rafler un contrat avec Warner Brothers Records. Dan a enfin réalisé son rêve d'œuvrer dans l'industrie de la musique.

Vous aussi pouvez entrer en contact avec le divin: il suffit de lui être réceptif. Pour ces personnes plus douées que moi en matière de spiritualité, la voix qui se fait entendre est peut-être «calme et retenue». Quant à moi, il a fallu me réveiller en m'assenant un coup de massue sur la tête. Je ne me suis pas mise à l'écoute de propos délibérés. J'avais tout simplement épuisé toutes mes autres options. C'est seulement alors que j'ai entendu ma voix intérieure.

Dans le prochain chapitre de *Ne t'endors jamais le cœur lourd!* nous aborderons quatre méthodes qui vous rendront plus réceptif à une sagesse, à une connaissance, à une information et à des conseils différents de ceux dont s'alimente habituellement votre conscience en éveil. Si vous préférez attribuer cette nouvelle limpidité de vision à votre état conscient, c'est bien. L'important, à cette étape, n'est pas de croire à l'existence de forces occultes, mais bien, comme l'enseignent les programmes en douze étapes, de vous montrer disposé à agir *comme si* une telle révélation était possible, quel que soit le visage qu'elle emprunte. Dans le domaine de l'esprit, dans nombre de sociétés humaines, on valorise le doute plus que la certitude, car douter signifie que vous avez au moins renoncé à exercer un contrôle arrogant. Admettre que nous *ne contrôlons rien*, voilà l'essence même de la foi. Car si l'on sait ce qui nous arrivera, à quoi nous sert d'avoir la foi? La foi nous invite à renoncer à notre rationalité et à nous engager dans la voie du mystère.

9
Le choix vous appartient

DANS UN MOMENT, vous connaîtrez les règles du «Coup de foudre», l'exercice auquel vous consacrerez la quatrième heure. Il s'agit d'une démarche puissante, qui peut vous rendre apte à penser, à parler ou à agir au-delà de vos capacités habituelles. Mais avant de commencer, voici quelques outils qui pourront vous être utiles. Vous pouvez en choisir un seul ou plusieurs, successivement ou simultanément. Ce choix peut dépendre des ressources dont vous disposez, de votre environnement et, bien entendu, de vos voix intérieures.

Nous allons aborder en premier le plus controversé des quatre. Si vous choisissez de ne pas recourir à ce moyen pour développer votre réceptivité — ou si vous ne disposez pas des ressources nécessaires — lisez néanmoins ce passage jusqu'au bout, car j'y énoncerai des principes importants, peu importe les outils que vous choisirez.

J'ai baptisé ce premier outil «l'outil de la décision intuitive», mais vous le connaissez sans doute déjà sous le nom de «divination». Voilà que vous imaginez des diseuses de bonne aventure, des tireuses de cartes, des affiches lumineuses représentant les lignes de la main. Bien entendu, il existe une approche primitive qui voit dans la divination un procédé magique grâce auquel, croit-on, il est possible de jeter des sorts, prévoir son destin ou l'influencer. Mais ce n'est pas l'approche que je préconise. Je vais plutôt vous enseigner une façon tout à fait nouvelle de parvenir intuitivement à des décisions en recourant à des outils de divination que d'autres ont mal compris ou mal utilisés. J'ai enseigné cette technique à des centaines de gens d'affaires, dont plusieurs s'étaient montrés sceptiques ou carrément angoissés à l'idée de lire le tarot. Je suis disposée à prendre le risque de piétiner de vieilles peurs, car tant de gens ont trouvé un enrichissement dans cette expérience qui les a guidés ou aidés dans leurs processus de décision.

Si vous possédez un jeu de tarots ou tout autre outil de divination, vous pouvez choisir de l'utiliser. Mais je dois d'abord clarifier deux points importants.

- Premièrement, vous devez vous engager à ne pas consulter d'ouvrage d'interprétation des tarots, maintenant et à l'avenir. Les maîtres et les guides qui vous expliquent le sens des arcanes, qui les fossilisent dans *leur* vision de la réalité, vous privent de votre force et de votre dynamisme. Ils vous dirigent au lieu de vous permettre d'être à l'écoute de votre intuition.

(Certains professionnels de la divination sont des personnes sensibles et inspirantes, capables de vous aider à vous servir des cartes, de la voyance, de l'astrologie et ainsi de suite d'une manière constructive conforme à l'approche que je préconise. Si vous recourez aux services d'un conseiller psychique, l'information que vous fournit le présent chapitre vous permettra de savoir si vous avez fait appel à une personne qui vous aidera à vous affranchir de vos illusions de puissance ou qui les renforcera.)

Au lieu de vous appuyer sur les explications de quelqu'un d'autre lorsque vous recourez à l'imagerie de la divination, demandez-vous quel sens possèdent pour vous de tels symboles et n'assignez pas à chacun une signification immuable. Chaque fois que vous étalez un jeu de tarots, celui-ci peut vous révéler une signification bien différente et plus appropriée que la précédente. Si vous êtes d'avis que les cartes ou leurs symboles n'ont aucune signification pour vous, mettez-les de côté. Vous n'êtes pas en harmonie avec eux. Trois autres outils sont à votre disposition.

- Le second point à clarifier est le suivant: si vous tirez une carte ou étalez un jeu qui vous semble erroné, ou si vous n'aimez pas les cartes qui sont sorties, recommencez, ou alors renoncez à cette méthode une fois pour toutes.

Les deux outils de divination que j'utilise le plus sont le *Yi-king* et le tarot. Ainsi que je le disais dans mon livre intitulé *How Would Confucius Ask for a Raise?*, il m'a fallu plusieurs dizaines d'années pour apprendre à me servir du *Yi-king*, en raison de son symbolisme poétique complexe, plus verbal que visuel. Pour les besoins de cet exercice, et en supposant que mes lecteurs comptent sans doute quelques nouveaux venus à la divination, je limiterai mes commentaires au plus courant et au plus classique de tous les outils de divinitation: le tarot Rider-Waite. Cette version s'adapte particulièrement bien aux méthodes préconisées dans *Ne t'endors jamais le cœur lourd!*, car elle présente, sous une forme visuelle et picturale, soixante-dix-huit situations archétypales pouvant surgir de notre vie extérieure ou intérieure. Ce symbolisme complexe et varié vous incite à une interprétation personnelle. Les arcanes du tarot ont toujours fait allusion aux problèmes que devaient affronter les personnes venues participer à mes ateliers, des espérances innocentes de l'enfance au voyage du héros dans la nuit obscure de l'âme: magicien, bateleur, empereur ou roue de fortune. Les tarots parlent de victoire et de défaite, de création et de destruction.

Lorsque vous vous apprêtez à utiliser un outil de décision intuitive, réfléchissez un moment: Que me faut-il pour trouver une solution à mon problème? Est-ce le meilleur chemin qui s'offre à moi? Qu'est-ce qui me fait obstacle? Brassez les cartes et posez-les devant vous, face dessous. Puis, pensez à votre question jusqu'à ce que votre concentration soit totale. Quand vous sentez que le moment est opportun, tirez une carte du jeu puis, la regardant, analysez vos émotions et votre réaction immédiate en laissant vagabonder votre esprit. N'y cherchez aucune réponse positive ou négative, ni un indice de votre avenir ou de votre destin; ne cherchez aucunement à interpréter *le message* de la carte. Observez plutôt vos propres réactions. Vous constaterez que celles-ci varient sans doute devant une carte donnée. Un jour, la représentation d'un homme coiffé d'un capuchon qui éclaire son chemin au moyen d'une lanterne (l'Ermite) éveillera en vous un sentiment de solitude et de tristesse; un autre jour, la même image dégagera une impression de courage et d'enthousiasme. (Exercez votre créativité en essayant de déceler la signification positive et la signification négative de chacun des arcanes du tarot, sans que ceux-ci soient reliés de quelque façon à votre questionnement du moment. Si vous ne possédez pas un jeu de tarots, livrez-vous à cet exercice avec des photos de magazine ou en puisant dans vos rêves ou vos fantasmes.)

En psychologie, on appelle «modification du schéma de références» ce glissement de la perception. Au moyen des arcanes du tarot, comme lors de ce processus de modification, vous vous entraînez à développer vos facultés d'interprétation bien au-delà de vos simples réflexes. Par exemple, vous croyez être un mauvais parent parce que vous vous êtes emporté avec votre enfant. C'est possible. Mais il est aussi probable que votre emportement indique que vous aimez votre enfant et que vous vous préoccupez de son éducation. Voilà en quoi consiste la modification du schéma de références. Parce que vous souffrez de trac, vous pensez ne jamais pouvoir faire une carrière de musicien. Mais se pourrait-il que votre trac soit un reflet de vos critères élevés, de l'ambition nécessaire à votre réussite?

Lorsque vous étudiez une carte, une image ou une représentation onirique, notez les réactions, les pensées et les émotions qu'elle vous inspire pendant cinq minutes, sans interruption. Ne portez pas de jugement sur la logique ou la cohérence de ce que vous écrivez. Ce procédé se rapproche beaucoup d'une démarche précédente qui consistait à «Identifier votre objectif».

La divination vous sera bénéfique même si vous l'envisagez uniquement comme un instrument pouvant permettre à vos pensées subconscientes d'émerger et comme un exercice susceptible de développer vos facultés. Mais selon une hypothèse assez fréquente dans les milieux de la psychologie et de la spiritualité, la divination offrirait beaucoup plus à un individu que la simple connaissance des pensées qui lui traversent l'esprit.

Sans doute avez-vous déjà entendu parler de la «synchronicité». Carl Jung a proposé le principe de synchronicité pour expliquer que des coïncidences apparentes ne sont pas l'effet du simple hasard, mais bien celui d'une harmonie préétablie entre des événements objectifs et la subjectivité de l'observateur et ce, malgré des éloignements dans l'espace et le temps. Dans la notion de synchronicité, science et mysticisme se confondent, tout comme la fragilité de notre environnement naturel et la diminution de nos ressources éclairent les rapports complexes qui régissent l'équilibre planétaire. Le fait d'utiliser un fixatif pour cheveux dans le New Jersey contribue à diminuer la couche d'ozone au-dessus de l'Antarctique. Le fait de polluer un ruisseau dans une certaine partie du globe contribue à réduire la production de lait chez des vaches situées aux antipodes.

Les progrès de la physique ont permis de redéfinir la réalité. Lorsque nous observons la matière, nous modifions le comportement de celle-ci, si bien qu'il nous est impossible de connaître la véritable nature du monde physique qui nous entoure. La moindre de nos actions a des ramifications qui se répercutent indéfiniment dans l'avenir. La série des films *Retour vers le futur* montrait comment la foudre ou le premier baiser d'une jeune fille ont le pouvoir de transformer des événements qui ne se sont pas encore produits. La croyance spirituelle voulant que «nous ne soyons qu'un seul et même être» prend un sens très différent dès l'instant où nous comprenons qu'à n'importe quel moment chacun de nos actes est relié sur un plan occulte à toutes nos actions passées, présentes et futures.

Jung s'est penché sur le principe de synchronicité pendant trente ans afin de parvenir à expliquer pourquoi et comment le maniement apparemment fortuit de baguettes ou de pièces de monnaie pouvait donner lieu à des perceptions éclairées et spécifiques bien supérieures à celles qui ne seraient dues qu'à la chance. Lorsque vous choisissez une carte «au hasard», celle-ci déclenche vos pensées inconscientes et leur permet de monter peu à peu à la surface de votre esprit conscient. Les réactions et les perceptions que vous glanez au moyen des instruments de divination vous donnent accès à des interprétations éloquentes, fondées sur le concept selon lequel la carte choisie reflète le lien qui vous unit aux forces à l'œuvre dans l'univers à cet instant précis.

La synchronicité prouve la justesse de vos intuitions: un rapport étroit relie vos états spirituel, émotionnel et psychologique aux événements qui se produisent dans votre vie. Souvenez-vous, par exemple, de cette occasion où vous souhaitiez qu'une personne vous appelle. Tant que vous avez espéré anxieusement ce coup de téléphone, l'appareil est resté silencieux. Lorsque vous vous êtes enfin rendu à l'idée que le coup de fil attendu ne viendrait pas, le téléphone a sonné. Et qu'en est-il de cette personne de votre connaissance qui s'est mise en colère et dont la voiture a été peu après emboutie à une intersection?

Un lien inhérent semble unir des occurrences en apparence étrangères les unes aux autres. Le *Yi-king* nous enseigne que nous ne sommes pas les initiateurs de tels liens, mais que nous pouvons en étudier les motifs afin de parvenir à une meilleure compréhension à la fois de l'univers et de l'essence secrète des êtres.

> En observant les figures du ciel, nous parvenons à comprendre le temps et ses exigences en mutation.

Nous ne créons pas la totalité de notre réalité — ni par une manipulation consciente des événements extérieurs, ni par une manipulation inconsciente des forces occultes —, mais nous nous combinons à elle. Pour progresser dans la vie, nous devons faire des choix qui s'harmonisent à l'essence de notre être. Dans les mots du *Yi-king*:

> L'individu constant et fidèle à lui-même saura trouver sa voie.

L'universalité et l'accessibilité du symbolisme des arcanes du tarot en font un instrument utile à la contemplation des forces à l'œuvre en vous, à n'importe quel moment de votre vie. Vous pouvez par conséquent vous demander pourquoi telle carte s'est présentée à vous à cet instant précis. Qui plus est, pourquoi a-t-elle provoqué en vous cette réaction particulière? Contient-elle la solution à votre problème? S'affirme-t-elle avec limpidité, si bien que vous savez pouvoir y trouver la réponse que vous cherchiez? Est-elle tombée sur la table comme un fruit pourri qui ne demande qu'à être rejeté dans le néant? Chacune de ces possibilités est porteuse d'informations appréciables; toutes vos réactions se valent. Vous seul êtes en mesure de décider ce qui convient le mieux à votre cas.

La synchronicité est un concept difficile à concevoir pour la plupart d'entre nous, en particulier pour ceux qui ont appris à ne se fier qu'à leurs processus cognitifs rationnels. Pour entreprendre la démarche de la quatrième heure au moyen de l'instrument de divination dont je viens de parler ou en vous servant des trois autres outils que je vous proposerai bientôt, vous devrez vous poser une question fondamentale implicitement contenue dans le concept même de divination: croyez-vous que dans notre univers l'ordre soit la règle, et le chaos, l'exception? Ou croyez-vous que notre univers soit un lieu chaotique où se manifeste à l'occasion un ordre fortuit? Tout débat sur la divination présuppose que vous admettiez l'existence d'un ordre invisible favorisant votre évolution spirituelle et votre aptitude croissante à effectuer des choix éclairés. Lorsque vous êtes en harmonie avec cet ordre invisible, vous possédez ce que les Juifs nomment *mazel* — la chance, c'est-à-dire, selon la tradition hassidique, «un ensemble favorable d'éléments supérieurs». Albert Einstein a dit un jour que la seule question qu'un être humain doive absolument se poser est: *l'univers est-il bienveillant — ou non?*

La synchronicité nous force à nous interroger sur la nature essentiellement chaotique ou ordonnée de l'univers et sur tout ce que cela implique. Mais avant de passer à l'exercice qui doit occuper la prochaine heure, je tiens à aborder un aspect encore plus déroutant du principe de synchronicité qui, curieusement, touche exclusivement les plus optimistes d'entre nous, soit ce que j'appelle le «syndrome de l'espace de stationnement».

Il y a quelque temps, Lisha, la plus enjouée de toutes les personnes qui m'ont accompagnée sur le chemin le moins fréquenté, est venue de San Francisco me rendre visite. Dans le *bon vieux temps*, dans les années soixante-dix et quatre-vingt, nous nous étions adonnées ensemble à un certain nombre d'exercices de pensée positive nous enseignant que notre harmonisation à l'univers peut accroître notre pouvoir. Les places de stationnement nous permettaient de nous doter de ce nouveau pouvoir. En d'autres termes, lorsqu'on est en harmonie avec l'univers, on acquiert le pouvoir de créer des places de stationnement. Trouver du stationnement à San Francisco vers 1985 tenait du miracle, si bien que nous nous harmonisions à l'univers et nous nous préparions mentalement à créer ce trésor spirituel si convoité: un endroit où garer sa voiture en toute légalité et pour presque rien.

Au fil du temps, après m'être harmonisée à l'univers sans pour autant avoir pu créer à volonté des places de stationnement, j'ai été confrontée à un dilemme. Ou bien mon harmonie à l'univers laissait à désirer, ou bien le dieu du stationnement n'était qu'un dieu bidon. À peu près à la même époque, ma participation opportune à un programme en douze étapes m'avait fait comprendre juste à temps l'importance d'accepter une situation et de s'y rendre. Le fait d'accepter mes limites humaines me paraissait plus favorable à ma vie spirituelle que celui de créer des places de stationnement, si bien que j'ai renoncé à la magie — du moins l'ai-je cru. Puis, Lisha est arrivée à Nashville. Nous avions projeté de faire un saut à la Vanderbilt Divinity School. Comme nous approchions du terrain de stationnement de l'école, j'ai mentionné en passant que, arrivées plus tard que d'habitude, nous ne trouverions jamais d'endroit où garer la voiture. Depuis plusieurs mois, chaque fois que je me rendais à l'école à cette heure, le stationnement était rempli à capacité. Lisha s'est moquée de moi.

«Ne t'inquiète pas, dit-elle d'un ton irrité. Nous en créerons un.»

Du haut de ma sagesse dans l'art de s'en remettre au destin, j'ai voulu lui démontrer qu'elle se trompait, qu'elle ne trouverait pas de place de stationnement. Mais, à ma grande surprise, nous avons aussitôt trouvé un emplacement libre.

Je me suis dit que c'était un coup de chance.

Mais le lendemain et le surlendemain, la même chance nous est tombée dessus, ébranlant toutes mes certitudes. J'étais furieuse et confuse. Avais-je renoncé trop tôt à faire des miracles?

Le jour du départ de Lisha, je me suis approchée du terrain de stationnement avec appréhension: j'avais autant peur de trouver une place de stationnement que de n'en trouver aucune. Je ne souhaitais pas redevenir la proie d'une telle illusion de pouvoir, mais je voulais — et je méritais — une place de stationnement autant que n'importe qui. Puis, une idée m'est venue. Au lieu d'accepter que je ne trouve pas d'endroit où garer ma voiture et au lieu de prétendre pouvoir en créer un, je ferais part de mes désirs à l'univers et j'accepterais le résultat, quel qu'il soit. Devinez quoi? Parfois je trouve une place de stationnement, parfois je n'en trouve pas. Mais qu'un emplacement se matérialise ou non, ma quête quotidienne est devenue une aventure au cours de laquelle *tout est possible.*

Je n'avais pas mieux compris la notion d'acceptation que la notion de pouvoir. Vous avez le droit d'établir avec l'univers un rapport qui donne un sens à votre vie. Vous avez le droit de demander ce que vous voulez et d'espérer l'obtenir. Vous avez beau vous trouver en harmonie avec les forces occultes de l'univers et faire face aux vicissitudes de l'existence avec enthousiasme, intégrité et vitalité, vous n'êtes pas en mesure d'en garantir les résultats. Mais vous possédez un don tout aussi précieux: votre intuition vous dit que, vraisemblablement, tout ce qui vous arrive de mauvais est *extérieur* à vous et n'est le résultat ni de votre résistance ni de votre arrogance. Étant indépendants de vous, ces événements désagréables finiront par passer.

Je n'en ai pas la certitude, mais je crois savoir par expérience que lorsque nous nous laissons guider par la vie nous mettons toutes les chances de notre côté. Vous devez identifier votre objectif comme si cet univers qui est le nôtre était un lieu ordonné et bienveillant, puis vous montrer disposé à accepter ce que la vie vous offre. L'ordre de l'univers consiste en ceci: la certitude que le bien prévaudra, sinon quand vous le voudrez, du moins quand Dieu le voudra.

Bien entendu, cela résiste à toute tentative d'explication rationnelle. Devant le nombre croissant des victimes de la violence et de la guerre dont font état les informations télévisées, on est tenté de renoncer à une telle notion d'ordre universel. Voici ce que conseillait à ses contemporains le philosophe Joseph Ernest Renan, tel que cité par William James:

> *In utrumque paratus.* Être prêt à tout, voilà sans doute la clé de la sagesse. Nous en remettre, selon le moment, à la confiance, au scepticisme, à l'optimisme, à l'ironie, et ainsi avoir la certitude que de temps à autre nous sommes dans le vrai.

Démarche:
La stupéfaction, ou le coup de foudre

Pendant l'heure qui suit, vous devez vous poser quatre questions précises en rapport avec le problème que vous souhaitez résoudre avant le coucher du soleil. Après avoir formulé chaque question dans vos propres mots en tenant compte de toutes les émotions et de toutes les pensées qui en découlent, vous libérerez chacune de ces questions dans l'univers, confiant qu'une réponse vous sera donnée en temps opportun.

Ces quatre questions sont les suivantes:

1. **Quel est le vrai problème ou dilemme auquel je suis confronté en ce moment?**
2. **Quelle est la nature de l'obstacle qui m'empêche de lui trouver une solution avant le coucher du soleil?**
3. **Que devrais-je faire?**
4. **À quel résultat puis-je m'attendre?**

Vous disposerez de quatre instruments pour vous seconder dans cette démarche. Vous pouvez décider à l'avance de vous servir d'un instrument pour les quatre questions, ou d'un instrument différent pour chacune, ou encore de combiner ces instruments de la manière qui vous convient, au gré de votre inspiration du moment. Si le hasard veut que ce soit le solstice d'été ou que vous jouissiez de quelques heures supplémentaires de liberté jusqu'au coucher du soleil, vous pouvez prolonger cette démarche au-delà d'une heure. Vous pourriez aussi consacrer une heure entière à l'une ou l'autre des quatre questions.

- Vous connaissez déjà le premier instrument à votre disposition: la divination. Vous pouvez recourir à n'importe quel procédé de divination, du moment que vous respectez la marche à suivre que je vous ai suggérée précédemment.
- Le deuxième instrument est une variante du premier: ouvrez votre livre préféré, par exemple la Bible, ou tout autre ouvrage édifiant, et, en vous concentrant sur votre question (vos questions), ouvrez le livre au hasard et cherchez conseil dans les mots que vous lisez.
- Le troisième moyen à votre disposition consiste à emmener vos questions faire une promenade dans la nature. En vous promenant, demeurez réceptif à tout ce qui, dans l'environnement, peut avoir une signification pour vous: une plante nouvelle qui pousse sur un tronc d'arbre tombé; un oiseau qui ne semble chanter que pour vous. Soyez attentif à tout ce qui attire votre attention, métaphoriquement ou littéralement. Vous en capterez le message sur-le-champ ou plus tard. Dans le cadre d'un atelier auquel je participais, un homme a raconté que sa

démarche avait un jour été interrompue par un appel pressant de la nature. Il s'était rendu aux toilettes en grommelant, pensant que cette interruption le distrayait de sa méditation. Au contraire, c'est en répondant à ce besoin naturel qu'il avait trouvé la réponse qu'il cherchait. Celle-ci était mystérieusement reliée à la chasse d'eau. Pendant le reste de l'heure, il avait actionné celle-ci et regardé l'eau disparaître dans un tourbillon vers un destin intime et mystérieux, jusqu'à ce que la solution à son problème lui apparaisse dans toute sa netteté.

- Le quatrième moyen consiste à méditer les yeux fermés sur votre question, ou à l'emporter avec vous dans un sommeil profond (n'oubliez pas d'ajuster votre réveil). Demandez que la réponse vous vienne dans une vision ou un rêve. Selon Jung, les rêves sont la voix de l'inconscient; ils guident l'esprit conscient vers ses racines sacrées. Si vous choisissez cette option, réglez votre réveille-matin pour qu'il sonne dans une heure. Placez un stylo et une feuille de papier à proximité. Dès que vous ouvrirez les yeux, notez votre rêve avec le plus de détails possible. Il n'est pas important que ces détails soient cohérents, ni même qu'ils se rapportent à votre dilemme.
- Si vous n'avez pas rêvé, ou si vous préférez rester éveillé pendant cette démarche, faites de la visualisation. Il suffit de fermer les yeux et de vous visualiser au cœur d'une nature belle et sereine. Imaginez qu'un être sage et bon s'avance vers vous. Cet être peut avoir une apparence précise ou même représenter une personne que vous avez connue. Il peut aussi s'agir d'une entité sans traits précis, d'une source d'énergie ou d'un sentiment. Quelle que soit son apparence, cet être vous offre un présent. De quoi s'agit-il? Si le présent est dans une boîte, ouvrez-la et regardez à l'intérieur. Efforcez-vous d'imaginer cette scène avec précision. Il n'est pas nécessaire que vous compreniez déjà la signification de ce présent. Contentez-vous de l'accepter, de remercier votre bienfaiteur et de regarder celui-ci s'éloigner. Lorsqu'il aura disparu, ouvrez les yeux et écrivez tous les détails de cette expérience. Si le présent que vous avez reçu est un objet, dessinez-le. Quand vous en aurez terminé, nous passerons à l'étape suivante.

10
Vous n'y pouvez rien

J'entends — je ne cherche pas; je prends sans demander qui donne; une pensée surgit comme l'éclair, impérieuse, sans hésitation — je n'y puis jamais rien.

Nietzsche

AVEZ-VOUS TROUVÉ la réponse espérée? Certains indices vous ont-ils troublé ou confondu? Avez-vous eu l'impression d'aboutir dans une impasse? Dans la prochaine section, nous entreprendrons une démarche qui vous aidera à trouver la signification de l'expérience que vous venez de vivre, peu importe le résultat auquel vous croyez ou ne croyez pas être parvenu. N'oubliez pas que dans *Ne t'endors jamais le cœur lourd!* il n'y a aucune impasse réelle et que rien ne se perd. Vous franchirez bientôt la crête de la vague et, retombant de l'autre côté, vous vous transformerez en rivière et suivrez votre cours en franchissant des obstacles qui, jusque-là, vous avaient paru insurmontables.

Mais avant de passer à la démarche de l'heure qui vient, je voudrais vous faire part de deux moments de stupéfaction, de deux coups de foudre.

Le premier de ces moments a été vécu par un de nos clients, associé dans un petit bureau d'avocats de San Francisco. La dernière fois que nous nous étions vus, il était tout entier pris par ses affaires et n'avait pas de temps à perdre avec ces petits détails qui rendent la vie professionnelle tolérable. Il croyait que les affaires représentent une lutte de tous les instants et que, pour être prospère, il faut diriger son entreprise comme une armée au front. Ses employés et ses associés avaient été entraînés à obéir sans discuter à tous ses ordres. Par conséquent, s'il semblait y avoir fort peu de dissension au sein de ses troupes, il ne conservait pas longtemps son personnel. C'était là le motif de notre rencontre. Il croyait devoir redorer le blason de son entreprise afin d'attirer des employés de plus haut calibre.

J'ai quitté son bureau bien décidée à trouver une solution, bien que j'aie été fermement convaincue qu'un plan de relations publiques ne servirait qu'à colmater la brèche dans son navire en perdition. Mais lorsque, munie de mon projet, je l'ai revu quelques semaines plus tard, je l'ai trouvé transformé.

Après notre première rencontre, il avait sombré dans une crise existentielle profonde. Une de ses employées les plus précieuses avait remis sa démission en emmenant avec elle plusieurs collègues et de nombreux contrats. Dans son désarroi, il avait accepté la suggestion de son épouse de participer à une journée de retraite spirituelle à la campagne. Là, il devait consacrer l'après-midi à trouver un «maître» — un élément de la nature comportant une leçon qui lui était destinée. Se montrant fort récalcitrant, il s'était néanmoins rendu sur les lieux de la retraite, convaincu qu'il perdait ainsi son temps et son argent: les petits oiseaux... les fleurs... pouah! Il s'était assis sur un rocher et, tandis qu'il traçait des motifs sur le sol avec une brindille, il avait entendu un bruit assourdissant de sabots. Aussitôt, une famille de chevreuils jaillit des bosquets bordant la pelouse. Les quatre animaux conduits par un mâle altier et magnifique traversèrent le parc avec un plaisir évident. Ils n'étaient pas ensemble par force, mais par choix. Personne ne les obligeait à demeurer ensemble. Ils étaient ensemble parce qu'ils le voulaient.

Dès cet instant, notre homme comprit que la fantaisie avait aussi sa place au bureau. Il invita ses meilleurs employés au restaurant et offrit des bouquets de fleurs aux membres du personnel sans raison précise. Pendant ce temps, nous mettions au point une campagne de publicité qui n'était plus requise, car les démissions avaient cessé. Il nous demanda plutôt de consacrer nos efforts à une campagne qui lui attirerait de nouveaux clients. Peu de temps après, il dirigeait la firme la plus prospère en ville.

Les personnes qui eurent vent de cette histoire lui expédièrent des tas de mascottes: des chevreuils en peluche, en bois, en pierre. Il reçut des tas de cravates et de t-shirts arborant des chevreuils. Dans la plus pure tradition chamanique amérindienne, il avait trouvé son animal sacré, son totem.

Je me suis surprise à envier ce client lorsque, plusieurs mois plus tard, Dan et moi avons passé par Sedona en route pour l'Arizona lors d'un voyage d'affaires. Nous avions beaucoup entendu parler des vortex et d'autres centres de pouvoir mystique, ces lieux qui promettent de nous aider à harmoniser notre énergie avec les forces occultes de l'univers. Nous voulions en faire l'essai, mais nous ne disposions que de quelques heures et n'avions pas le temps de rechercher l'emplacement exact de ces vortex. Nous avons donc engagé un guide pour nous conduire dans le désert rouge et pierreux où devait avoir lieu notre expérience taillée sur mesure.

Le guide était sympathique et bienveillant, mais Dan et moi nous sentions quelque peu ridicules de troquer ainsi pour de l'argent un brin de vie spirituelle. Heureusement pour nous, nous n'attendions pas grand-chose de cette expérience. Je suis certaine que notre nonchalance venait de ce qu'aucun problème particulier nous tenaillait ce jour-là. Nous pouvions nous offrir le luxe de prendre notre aventure à la légère.

Au moment de planifier notre petite excursion, nous eûmes à choisir parmi un éventail d'expériences. Dan opta pour la roue chamanique. Je voulus pour ma part rencontrer mon animal totémique. Je souhaitais depuis toujours parvenir à trouver l'animal qui compterait pour moi, qui me protégerait et me servirait de guide. Je cochai donc l'option numéro trois. Le guide nous conduisit en Jeep au-delà des limites de Sedona, jusqu'au pied d'une magnifique falaise rouge. Dan et lui se dirigèrent ensuite vers le site de la roue chamanique. Quant à moi, je disposai d'une heure pour que se produise ma rencontre sacrée avec mon totem.

Restée seule, je me suis frayé un chemin parmi les broussailles dans un état d'expectative heureuse. Un coyote hurlait-il dans mon avenir? Apercevrais-je le vol majestueux d'un aigle au milieu des nuages? Un chevreuil au galop? Rien de tout cela. Puis j'ai compris: ce ne sera pas une rencontre au sens littéral, mais bien une vision. Fière d'en être arrivée à cette constatation éclairée, je me suis assise dans la position du lotus et j'ai attendu qu'une vision extraordinaire me soit donnée. Au cours des longues minutes qui ont suivi, toute une ménagerie a traversé mes pensées tels les énormes ballons du défilé de Macy's qui serpentent le long de la 5e Avenue, à New York, le jour de l'Action de grâce. Au bout d'un moment interminable, j'ai capitulé. Dégoûtée, j'ai ouvert les yeux et, ô horreur! un énorme ver de terre rose rampait en direction de mon pied droit. J'ai su tout de suite que c'était *mon* ver. Il était là, au beau milieu du désert, ridicule, rose et visqueux. Depuis plusieurs années, j'ai pu réfléchir à la signification métaphysique de ce lombric (mais je ne vous ennuierai pas avec mes réflexions; qu'il me suffise de dire que je me suis réconciliée avec l'idée d'avoir un ver de terre pour totem).

Manifestement, ce lombric était important pour moi. De cela, je pouvais être certaine. Mais tout n'est pas toujours aussi évident. Êtes-vous toujours en mesure de savoir si le message ou la leçon que l'on vous livre est conforme à la vérité? Comment savoir quand conserver la carte et quand la remettre dans le jeu? Quand accepter un signe et quand le juger ridicule? Comment savoir si la solution trouvée est bonne ou mauvaise? De tout temps, cette question a préoccupé les sages. Nous nous pencherons sur cet important sujet au cours de la cinquième heure de la méthode proposée dans *Ne t'endors jamais le cœur lourd!*

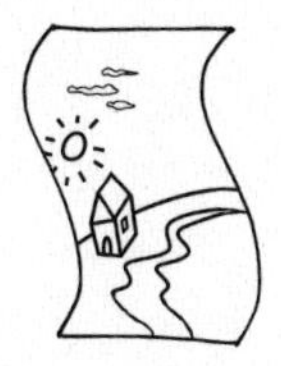

cinquième heure

Des voix multiples

11
Comment savoir laquelle de ces voix est la vraie?

Si je suis dupe, Seigneur, c'est de Vous.

Saint Augustin

UNE FEMME très élégante s'adressait en pleurant aux autres participants de l'atelier. Pendant plusieurs jours, elle avait gardé son sang-froid, ne montrant aucune émotion et parlant à peine. Mais lors de l'exercice de la quatrième heure, elle avait tiré un arcane du tarot représentant une mère aux côtés de son enfant. Entre deux sanglots, elle déclara n'avoir plus aucun contact avec sa fille dont elle n'approuvait pas la conversion à une secte intégriste. Depuis plusieurs années, elle refusait de lire ses lettres et de lui parler au téléphone. Mais cette situation angoissante occupait sans cesse son esprit. Que devait-elle faire?

En voyant la carte qu'elle avait choisie, elle avait été saisie de frissons. Elle avait clairement entendu une voix intérieure lui dire que le moment était venu pour elle de se réconcilier avec sa fille, de l'appeler au téléphone. Son récit terminé, ses larmes cessèrent de couler, et elle garda le silence longtemps. Mais elle ne quitta pas sa place. Que voulait-elle encore nous dire?

Elle se racla la gorge et épongea ses yeux. Puis, ayant quelque peu repris ses sens, elle nous dit la vraie raison de sa confession.

«Je voudrais vérifier quelque chose, fit-elle. Puis-je me fier à cette voix? Comment savoir si elle me dit la vérité?»

Voilà une bonne question, similaire à celle que nous posions précédemment: «Pouvez-vous vous fier à vos émotions?» La réponse est non. Vous ne pouvez pas être sûr que vos émotions vous diront la vérité. Quoique fort utiles par ailleurs, vos émotions sont incapables de vous renseigner correctement sur les événements qui se produisent. Qu'en est-il de votre voix intérieure? Pouvez-vous être certain qu'elle vous dit la vérité, qu'elle sait ce qui est bon pour vous?

En dépit de sa grande spiritualité, saint Augustin doutait aussi. Il se savait vulnérable aux mensonges de ces voix qu'il tenait pour divines. D'autres guides spirituels avant lui ont eux aussi été rongés par le doute. Les prophètes de la Bible ont également soulevé cette question. Par exemple, dans le Livre des Rois, le Seigneur réunit son armée céleste afin de leurrer Achab, le roi d'Israël, dans un combat mortel.

> Mais l'Esprit s'avança droit devant l'Éternel et dit: «Moi je veux l'égarer.» «Comment cela?» demanda le Seigneur. Il répondit: «J'irai, et je serai un esprit de mensonge dans la bouche de tous ses prophètes.»

Quatre cents prophètes, dont chacun se croyait appelé à proférer la parole de Dieu, furent mystifiés par les mensonges d'un esprit. Pour compliquer l'histoire encore davantage, ce faux esprit semble avoir été l'envoyé du Dieu même des prophètes. Que ce récit soit au cœur de la tradition judéo-chrétienne montre à quel point ce dilemme – pouvons-nous être sûr que notre voix intérieure est pour nous un guide infaillible? – angoisse les maîtres spirituels depuis la nuit des temps.

À bon droit. Tant de groupes se disent les seuls vrais porte-parole de Dieu: en qui pouvons-nous avoir confiance? Comment savoir qui a raison? Dieu parle aux Juifs en Israël et aux Arabes en Palestine. La voix de Dieu ordonne à Un Tel d'appuyer sur la gâchette, à Une Telle de faire don de sa fortune à l'Église. Il n'est pas rare que des touristes visitant Jérusalem s'éloignent de leur groupe, puis reviennent quelques jours plus tard, vêtus d'un drap et rendant le jugement de Dieu.

Nul n'est à l'abri de ces doutes. Même si vous avez trouvé une réponse claire à vos questions lors de la démarche précédente, comment pouvez-vous être certain que votre voix intérieure vous veut du bien? Se pourrait-il que cette voix soit celle de votre subconscient et de vos culpabilités refoulées? S'agit-il d'un faux esprit? Quelle voix a répondu aux questions de l'exercice intitulé «La stupéfaction, ou le coup de foudre?» Qui est l'auteur de votre récit mythique? *Qui lit et apprécie le texte que vous parcourez des yeux?*

En ce qui concerne la dame de tout à l'heure, tous ceux qui furent témoins de son récit savaient qu'elle avait trouvé sa vérité supérieure grâce à l'arcane du tarot et à sa voix intérieure. Lorsqu'elle répétait les mots qu'avait proférés la voix, elle s'animait, acquérait beaucoup de présence et de dynamisme. Lorsqu'elle rendait compte de ses propres réflexions, si justifiées soient-elles, elle devenait ennuyeuse, introvertie, appréhensive. Mais il n'était pas du ressort de ceux qui l'écoutaient de juger de la validité de son expérience spirituelle. Elle seule pouvait porter ce jugement. Au lieu de lui faire part de mon opinion, je lui demandai quelle émotion elle avait ressentie lorsqu'elle avait compris ce qu'elle devait faire.

«Soudain, tout m'a semblé clair. En même temps, j'étais parcourue de frissons.»

En mentionnant ces frissons, elle sembla bouleversée et éclata de rire.

«Les frissons sont un bon signe, parvint-elle à dire entre deux hoquets. Chaque fois qu'une pensée me donne le frisson, elle se révèle juste, qu'elle me plaise ou non.»

Ses doutes s'estompèrent. Elle sut qu'elle était dans la bonne voie. Elle retourna s'asseoir et attendit la pause avec impatience. Elle téléphonerait à sa fille.

Cette femme eut le sentiment très net que sa voix lui disait la vérité. Mais comme l'illustrent saint Augustin et les quatre cents prophètes, ce n'est pas toujours aussi simple. Vous avez non seulement le droit, mais aussi l'obligation de recevoir ces messages intérieurs avec objectivité, que ceux-ci proviennent de votre inconscient ou qu'ils soient d'origine divine. Heureusement, il existe un moyen pour tester l'authenticité de votre voix intérieure. Avant que nous en ayons terminé avec la démarche de la cinquième heure, vous disposerez d'une méthode vous permettant d'évaluer l'information reçue. Cette méthode vous permettra aussi de consulter votre voix intérieure pour évaluer les messages que vous livrent les personnes qui se disent inspirées par Dieu. Ainsi, vous serez moins vulnérable aux tromperies et vous saurez avec plus de certitude si la voix que vous entendez est de bon conseil.

Sans doute les complexités et la dynamique de votre vie intérieure vous paraissent-elles maintenant aussi fascinantes et stimulantes que votre vie de tous les jours. Si vous avez fait une thérapie ou si vous vous êtes adonné à des pratiques spirituelles telles que la méditation, les domaines du mental et du spirituel vous sont déjà familiers. Mais peut-être vous laissez-vous encore distraire par votre désir de réussite et cédez-vous à la tentation de négliger ces pratiques contemplatives en apparence moins productives, dès qu'elles vous dérangent ou semblent vous éloigner de votre objectif.

Il se peut que vous rechigniez à consacrer régulièrement du temps au travail intérieur dont il est question dans cet ouvrage parce que vous appréhendez d'entendre certaines de vos voix: celle de la jalousie, celle de la cupidité, celle de la paresse, ou d'autres voix plus désagréables encore. Nous portons tous en nous ces sombres voix. Nous hébergeons aussi des voix sages auxquelles nous voulons parfois rester sourd, car nous devinons qu'elles s'efforcent de nous prodiguer un conseil que nous préférerions ne pas suivre. Supposons que pendant le dernier exercice les admonestations de votre voix intérieure, menaçant votre tranquillité, vous aient enjoint à viser des objectifs plus édifiants? Ou qu'elle vous ait dit que vos rêves ne se réaliseraient pas? Ou que vous ne désiriez pas vraiment ce que vous vous étiez toujours efforcé d'obtenir? Vous voulez résoudre votre dilemme avant le coucher du soleil; votre voix intérieure peut vous dire comment parvenir à la solution que vous cherchez, mais celle-ci se fait attendre, car vous n'écoutez pas ce que la voix vous dit. Vous discutez avec elle, vous ne lui êtes pas attentif, car vous refusez de suivre les conseils qu'elle vous donne et qui vous permettraient d'évoluer.

L'opérateur des marchés boursiers Edward Allen Toppel, qui a passé quelque vingt ans de sa vie sur le parquet du Chicago Mercantile Exchange, est un expert en matière d'évitement. Le jour où Toppel réalisa ses gains les plus importants en transigeant des actions IBM, il eut une expérience éclairante qui servit plus tard de base à son livre intitulé *Zen in the Markets: Confessions of a Samurai Trader.*

Voici le nœud de sa découverte. Les clés de la réussite en matière de spéculation boursière et d'investissement sont au nombre de quatre: «1. Achetez des valeurs en baisse; vendez des valeurs en hausse. 2. N'encaissez pas trop vite vos profits; limitez vos pertes. 3. Renforcez votre position lorsque vous êtes gagnant, non pas lorsque vous êtes perdant. 4. Fiez-vous aux tendances.»

Cela semble facile? Alors pourquoi tant de spéculateurs perdent-ils jusqu'à leur dernière chemise? Toppel constate que les gens préfèrent à la voix de la sagesse, qui connaît ces lois, celles de l'orgueil, de la cupidité, de la culpabilité, de la honte, de la peur, et ainsi de suite. Selon lui, les problèmes commencent lorsqu'une transaction n'entraîne pas de gains immédiats.

> Notre *ego* freine aussitôt notre aptitude à prendre la bonne décision — qui consiste à nous débarrasser immédiatement de nos valeurs perdantes. L'*ego* sait inventer toutes sortes de raisons pour nous convaincre de conserver ces valeurs, qu'il s'agisse d'actions, de titres, d'options ou d'obligations. Notre *ego* fera l'impossible pour nous empêcher de comprendre qu'il vaut mieux pour nous ravaler notre orgueil et prendre la bonne décision.

Toppel poursuit en rapportant que, lorsqu'il était courtier chez Bear, Stearns, certains de ses clients, mus par leur *ego*, affirmaient qu'une perte n'est une perte que le jour où on l'assume. «Ils persistaient, jusqu'à ce que le marché leur donne raison. C'était ridicule. Cette façon de penser a coûté très cher à certains d'entre eux.»

Nous sommes nombreux à refuser d'écouter la voix de la sagesse qui veut notre bien. Elle m'a parlé à l'oreille pendant toutes les années qui ont précédé l'acquisition de notre «maison de rêve», il y a quatorze ans. Elle me répétait que le jeu n'en valait pas la chandelle. Au fond de moi, je savais que lorsque Dan et moi parviendrions à acquérir une grande maison dans un endroit rêvé au-dessus de la baie de San Francisco, nous serions trop occupés à nous acquitter des paiements d'hypothèque pour en jouir vraiment. La gardienne que je devrais engager s'ébattrait sur la magnifique pelouse en compagnie de mes enfants, mais pas moi. Mais plus Dan et moi courions de l'agence immobilière à la banque avec ce dynamisme et ce sentiment de pouvoir que procurent la quête et l'acquisition d'une propriété bien au-dessus de ses moyens, moins j'admettais la présence de cette petite voix «traître» — encore moins à moi-même.

Ignorer assez longtemps la voix de la sagesse finit toujours par nous occasionner des problèmes. En signant le contrat d'hypothèque, nous avons signé notre perte. Quelque temps après, nos dettes et notre charge de travail étaient devenues si lourdes que j'ai bien été forcée d'admettre que ma voix intérieure m'avait mise en garde et qu'elle me répétait maintenant de m'en sortir au plus vite. J'ai fini par l'écouter, bien que j'aie ensuite été ballottée pendant plusieurs années sur la route cahoteuse de la guérison financière, émotionnelle et spirituelle. Aujourd'hui, je tente le plus possible de faire taire mon *ego* afin d'entendre la voix de la sagesse. Ce faisant, j'évite les écueils assez tôt et ma convalescence est moins pénible. Le *Yi-king* apporte un réconfort à ceux d'entre nous qui ont ignoré ou combattu la voix de la sagesse; grâce au Ciel, «notre vie s'élève en abandonnant derrière elle nos erreurs».

Nous évitons de prêter l'oreille à notre sagesse intérieure de plusieurs façons, notamment en étant si occupé qu'aucune pensée désagréable ne parvient à émerger à notre conscience. La quiétude est insupportable à beaucoup de professionnels prospères. Pourquoi ressentons-nous une telle anxiété et une telle impatience lorsque nous sommes contraints à l'inactivité? Ne connaissez-vous pas un grand nombre de personnes ambitieuses qui préfèrent un tournoi de tennis ou un fébrile voyage organisé en Europe («Si c'est mardi, ce doit être la France!») à la lecture d'un bon livre sur une plage isolée? L'autre jour, alors que mon amie Donna et moi savourions notre amitié au cours d'une belle promenade sur les sentiers qui longent le lac Radnor, nous avons croisé une femme d'affaires qui faisait du jogging tout en concluant des transactions par téléphone cellulaire!

Selon moi, la raison pour laquelle les gens s'infligent de tels mauvais traitements est que, dès l'instant où leur vie quotidienne est privée de bruit et d'agitation, ils peuvent capter leurs voix intérieures. Nous nous croyons futés de parvenir à éviter de tels examens de conscience, mais en vérité, si nous empêchons nos voix intérieures d'émerger, elles se manifesteront quand même, sous forme de problèmes. Puisque vous accordez d'emblée votre attention aux circonstances qui vous entourent — *par exemple, au problème auquel vous êtes confronté aujourd'hui* — vous récoltez précisément cela: des ennuis. Quoi qu'il vous en coûte d'entendre le message que vous livrent vos voix, ne préférez-vous pas savoir ce qui ne va pas afin de redresser la situation au plus tôt, au lieu de vous laisser submerger encore et encore par la «malchance» et les mauvaises surprises?

Vous aurez sous peu l'occasion non seulement d'apprendre à connaître la voix de votre sagesse intérieure (n'oubliez pas qu'elle vous veut du bien), mais aussi toutes les voix que vous hébergez.

Depuis ce matin, nous avons souvent employé le mot «voix». Ce terme *poétique* est un instrument psycho-spirituel qui reflète votre vie intérieure et vous aide à y accéder. Il se peut que vous préfériez considérer ces voix comme des aspects de vous-même, ou comme la représentation de la connaissance divine, ou comme une manifestation de votre subconscient — par exemple, ce que vous avez appris à l'école, la vision que vos parents vous ont transmise de l'univers —, ou, enfin, comme un ensemble de tous ces phénomènes. Quelle que soit votre façon de les interpréter, vous devez identifier chacune de vos voix, engager le dialogue avec elles et leur permettre de communiquer entre elles afin qu'elles vous aident à prendre vos dilemmes et vos conflits matériels et spirituels en main, à élargir les horizons de votre créativité et de votre intuition et, tout simplement, à connaître et apprécier le caractère miraculeux de votre nature.

Tout cela est ridicule, songez-vous; ce sont les malades mentaux qui entendent des voix. Détrompez-vous. Ces voix vous habitent depuis toujours. Vous ne me croyez pas? Supposons que vous vous apprêtiez à commettre une erreur en sachant que c'est une erreur. *D'où vous vient cette certitude?* Cette voix est sans doute pour vous celle de votre conscience. Je préfère, quant à moi, y voir celle de votre moi supérieur. Le moi supérieur est cette partie de vous-même qui a su élargir ses horizons et devenir plus consciente; il veille à votre bien-être. La voix de votre moi supérieur peut vous apprendre comment entrer en harmonie avec l'ordre secret de l'univers. Bien que je n'écoute pas toujours la voix de mon moi supérieur, je sais qu'elle est toujours disposée à m'aider si je parviens à faire taire mon *ego* et à interrompre l'activité de mon hémisphère gauche assez longtemps pour appeler au secours.

Penchons-nous maintenant sur des circonstances qui éveillent en vous une tout autre voix: ces moments où vous vous efforcez en vain d'accomplir quelque chose. Vous n'avez pas donné le meilleur de vous-même et vous vous en repentez. *Qui* sait que vous auriez pu faire mieux? *Qui* vous culpabilise? C'est la voix du juge. Vous savez que vous avez affaire au juge quand les paroles qui vous viennent à l'esprit ressemblent aux admonestations de l'instituteur que vous détestiez le plus à l'école ou à celles de tous ces adultes qui vous réprimandaient quand vous étiez enfant. «*Tu n'es qu'un bon à rien. Tu ne feras jamais rien de bon. Comment peux-tu être aussi stupide?*» Nous avons tous été ainsi rapetissés à l'occasion. Pourtant, même le juge — si malavisé soit-il — a parfois votre bien-être à cœur. Le juge s'efforce de vous éviter des souffrances en vous incitant à lâcher prise avant que vous ne vous rendiez ridicule. Si votre voix intérieure vous le signale assez tôt, vous éviterez sans doute le jugement de votre entourage. Le juge est parfois bien intentionné, parfois mal intentionné. Quoi qu'il en soit, il n'est pas nécessaire que sa voix soit la seule qui se fasse entendre, même si elle est la plus puissante de toutes.

Le moi supérieur et le juge sont vos deux voix les plus importantes, mais il y en a d'autres. Vous hébergez un enfant en vous. Sans doute même plusieurs. L'un d'eux est peut-être aimant et enjoué; il se manifeste lorsque vos tâches vous ennuient, et vous invite à laisser traîner la vaisselle sale pour aller jouer dans le jardin. Un autre, pleurnichard et en manque d'affection, n'a pas eu assez d'attention quand vous étiez petit; il exige que l'on satisfasse tous ses besoins. Certaines de vos voix sont dynamiques et ambitieuses, d'autres, rêveuses et intuitives, sont celles de mystiques et de gardiens spirituels. Votre vie intérieure est aussi riche et diversifiée que le Panthéon des Grecs. Aux dires de nombreux psychologues, les mythes et les légendes sont la représentation littéraire et artistique de l'univers intérieur. Ainsi que le dit le philosophe Rollo May à propos de la Grèce antique:

> [...] Quand tous les mythes étaient dotés de force et de vitalité, les membres de la société affrontaient les vicissitudes de l'existence sans anxiété indue et sans culpabilité. Ainsi, les philosophes du temps voyaient dans la beauté, dans la vérité, dans la bonté et dans le courage, des valeurs humaines. Les mythes ont permis à Platon, à Eschyle et à Sophocle de créer les grands trésors philosophiques et littéraires qui nous ont été transmis.

Au cours de cette cinquième heure, vous vous rendrez compte que certaines de vos voix vous sont agréables et que, de prime abord, d'autres vous rebutent. Curieusement, ces voix portent l'une sur l'autre des jugements. Êtes-vous tiraillé par des conflits intérieurs, déchiré entre deux opinions? Sans doute est-ce dû aux voix disparates qui se disputent votre attention. Par exemple, votre secrétaire sollicite une augmentation de salaire qu'il ne mérite pas, et vous ne savez que faire. L'enfant aimant vous dit oui! Mais l'enfant aimant est généreux. Le juge vous signale que, si vous accordez cette augmentation, vous faites une fois de plus preuve de naïveté. Mais vous savez que le juge formule toujours vos plus grandes appréhensions.

Vous songez à réorienter votre carrière? La voix du dynamisme vous incite à en courir le risque. Allez-y! Mais cette éventualité terrifie l'enfant indigent. La déesse rêveuse a envie de démissionner et de se vouer à la contemplation. Toutes ces voix se disputent votre attention.

Il ne s'agit pas de trouver le moyen de mettre fin à ces bavardages qui occupent votre esprit, mais bien de savoir si vous pouvez choisir celles de vos voix qui méritent votre attention; si vous laisserez ce dialogue intérieur avoir lieu sans votre participation; ou si vous êtes disposé à embrasser consciemment votre être tout entier. Lorsque vous êtes confronté à des problèmes, intérieurement ou dans votre vie quotidienne, ces voix doivent-elles lutter entre elles ou bien pouvez-vous faire appel à votre moi supérieur, à votre jugement et à votre discernement pour trouver une solution à vos ennuis? Parmi ces voix, en existe-t-il une qui soit la synthèse de toutes les autres et qui vous inspire une décision éclairée? Sachant que vous pourrez bientôt identifier toutes les voix qui vous parlent, vous appréhenderez moins d'être berné par elles et vous saurez plus facilement déceler celle qui vous est de bon conseil. Avant la fin de cette cinquième heure, vous serez en mesure d'évaluer non seulement les messages qui vous sont transmis intérieurement, mais aussi, en faisant appel à vos voix, ceux qui vous parviennent de l'extérieur et dont les transmetteurs ne sont sans doute pas aussi exigeants envers leurs propres voix que vous ne le serez bientôt envers les vôtres.

12

Votre conseil d'administration intime

TOUT AU LONG de cette journée, une ou plusieurs de vos voix se sont fait entendre. Si vous avez déjà trouvé une solution à votre dilemme, il se peut que vous ayez été en mesure d'entendre l'une d'elles vous prodiguer des conseils que vous saviez opportuns. Il se peut aussi que la ou les voix entendues vous aient prodigué des conseils qui ont semé le doute en vous. Il se pourrait enfin qu'aucun de ces deux scénarios ne s'applique à votre cas: vous voilà donc persuadé d'être la seule personne au monde qui soit dépourvue de moi supérieur et vous vous reprochez d'avoir perdu temps et argent en vous procurant ce livre. Si tel est le cas, vous avez sans doute été guidé aujourd'hui par la voix du juge.

La démarche de la cinquième heure, un exercice de rédaction, vous aidera à vous familiariser avec la ou les voix clés qui se sont manifestées depuis ce matin, ainsi qu'avec quelques voix plus discrètes dont vous n'avez pas saisi les propos. Vous serez ainsi en mesure d'inciter vos voix à entamer un échange constructif.

Démarche:
Conversez avec vos voix intérieures

Il est temps de vous retirer dans un endroit calme où vous aurez la liberté d'écrire pendant environ une heure. Une fois bien installé, lisez les pages qui suivent en vous conformant aux instructions qui vous sont données.

- Avant de commencer, imaginez que vos voix intérieures sont les membres de votre conseil d'administration intime. Comme dans toute société, les membres de ce conseil se réunissent périodiquement pour faire le point sur des affaires particulières ayant une influence sur la réussite de l'entreprise. Dans ce cas-ci, l'entreprise, c'est vous-même. Lorsque les membres d'un conseil doivent faire face à des défis et prendre des décisions importantes, les personnes présentes émettent des opinions divergentes et s'efforcent de faire entériner leur point de vue. Dans une réunion bien menée, le président de séance fait en sorte que chacun puisse exprimer son idée. Il encourage les délibérations et vise un consensus. Naturellement, les conclusions ne font pas toujours l'unanimité; en fait, il n'est pas rare qu'une personne s'acharne à faire valoir un point de vue contraire à l'opinion générale. Mais lors de délibérations constructives, les membres consentent généralement à tempérer leur opinion personnelle pour le bien de l'entreprise.

Vous allez aujourd'hui soumettre votre dilemme aux membres de votre conseil d'administration intime et leur demander de lui trouver une solution qui recueille leur consensus. Si vous possédez déjà la solution à votre problème, ou si vous avez reçu aujourd'hui les directives d'une voix spécifique, demandez-lui de s'exprimer en premier. Sinon, le juge lancera le débat. Vous êtes le président de séance. Imaginez la salle de réunion de vos rêves: ressemble-t-elle à l'Assemblée nationale? à une retraite paisible? au quartier général d'IBM? Notez les questions et vos réponses par écrit, ainsi que les énoncés que j'inscrirai en caractères gras, et les réactions des membres du conseil. *Vous n'êtes pas obligé de copier les indications et les commentaires en italique.* Allouez environ cinq minutes à chaque réponse. Pendant ce tour de table, les voix exprimeront tour à tour ce qui vous traverse l'esprit. Comme lors du premier exercice écrit de la journée, écrivez aussi vite que possible et sans vous arrêter. N'orientez pas vos pensées — suivez-les. Si vous n'avez rien à dire, écrivez que «rien ne vous vient à l'esprit». Si cette situation persiste, ou si vous avez l'impression de ne pouvoir faire taire votre rationalité, transférez votre stylo dans l'autre main. Ne corrigez pas vos fautes. Le moment est venu de déclarer la séance ouverte et de donner la parole au premier intervenant.

Je demande à la première voix de nous faire part de sa position concernant le problème que je souhaite résoudre avant le coucher du soleil. Avez-vous une solution satisfaisante à proposer? Si oui, quelle est-elle? Sinon, qu'est-ce qui vous gêne?

Copiez ces questions et laissez parler la première voix. Demandez à celle-ci de s'identifier: s'agit-il du moi supérieur? du juge? du valeureux petit soldat? Quand vous aurez écrit pendant environ cinq minutes, proposez un tour de table.

Quelle est la réaction du juge à ce que nous venons d'entendre?

Quelle est la réaction du protecteur à ce que nous venons d'entendre?

Quelle est la réaction de l'enfant à ce que nous venons d'entendre?

Quelqu'un d'autre désire-t-il énoncer son point de vue sur ce que nous venons d'entendre ou sur mon rôle en tant que président de séance?

Répétez cette question et notez les réponses jusqu'à ce que chaque membre du conseil ait pu s'exprimer. Une fois complété ce tour de table, passez à l'étape suivante.

Le moment est venu pour nous d'entendre notre conseiller spécial, le moi supérieur *(si le moi supérieur s'est déjà exprimé).* **Moi supérieur, maintenant que toutes ces voix ont parlé, quel est votre point de vue? Si vous m'avez déjà transmis une image onirique, un indice ou un symbole que je n'ai pas saisi, expliquez-le-moi. Que signifie-t-il? Quelles directives cherchez-vous à me transmettre?**

Le moi supérieur est la voix de la sagesse tempérée par l'expérience. Le moi supérieur est en mesure de vous aider à trier les points de vue des autres membres du conseil.

Quand le moi supérieur aura fini de s'exprimer, demandez-vous si un consensus a été atteint. Les membres du conseil ont-ils tous entériné le point de vue du moi supérieur? Dans l'affirmative, vous pouvez lever la séance.

Dans la négative, mettez la question en délibération. Donnez la parole en premier à la voix la plus agaçante et la plus forte. Si elle parle pour la première fois, demandez-lui de s'identifier. Permettez à toutes les voix qui se sont exprimées jusqu'ici, ainsi qu'à celles qui désirent participer au débat, de dire ce qu'elles pensent de vous ou des autres voix, et de formuler leur opinion. Si vous ne parvenez pas à différencier ces voix, notez les réactions des voix les plus imposantes de votre main dominante, et celles des voix plus effacées de votre main la moins habile. En sa qualité de président du conseil, votre moi supérieur peut intervenir à tout moment pour le respect du protocole, particulièrement en cas de conflit. L'exemple ci-dessous, le «Débat des voix intérieures» — que vous pouvez lire pour vous préparer à cet exercice —, montre comment des voix multiples s'efforcent de parvenir à un consensus.

Une fois l'exercice terminé — qu'il y ait consensus ou qu'une conclusion unanime ne semble pas encore possible — levez la séance comme suit:

Membres du conseil, moi supérieur, je vous remercie pour le temps et les efforts que vous avez consacrés à cette affaire. La séance est levée.

Exemple de Débat des voix intérieures

Je demande à la première voix de nous faire part de sa position concernant le problème que je souhaite résoudre avant le coucher du soleil. Avez-vous une solution satisfaisante à proposer? Si oui, quelle est-elle? Sinon, qu'est-ce qui vous gêne?

Rien ne me vient à l'esprit. Je m'en veux de m'être absenté du bureau pour me livrer à ce jeu stupide. Ai-je raison de recourir à ce procédé original pour régler mes problèmes? J'ai déjà entendu cette voix. C'est celle de l'éternel inquiet. Moi, l'éternel inquiet, je suis prudent et consciencieux. Je ressemble beaucoup à ta sœur Catherine, qui s'est toujours souciée de ton bien-être. Je suppose que je suis responsable de ta sécurité.

Quelle est la réaction du juge à ce que nous venons d'entendre?

J'en ai ras le bol de cet éternel inquiet. Il croit être le portrait de sa grande sœur Catherine, mais c'est faux. Il n'est pas aussi bien intentionné qu'elle. Ce n'est qu'un fainéant qui cherche toutes sortes d'excuses pour t'empêcher de faire ton travail. Tu es toujours en train de te justifier. Je suis le juge, et j'en suis fier. Je dis toujours la vérité, au risque de blesser. Je ressemble au directeur de ton école primaire dans ses mauvais jours. Il se peut que tu n'apprécies pas ce que j'ai à dire, mais j'ai d'importantes responsabilités. Je te maintiens dans le droit chemin et veille à ce que tu n'aies pas trop d'ennuis.

Quelle est la réaction du protecteur à ce que nous venons d'entendre?

Selon moi, le juge est injuste envers toi et envers l'éternel inquiet. L'éternel inquiet ne songe qu'à ta sécurité. Je crois que tu devrais clouer le bec au juge et poursuivre l'exercice que tu es en train de faire. Bien sûr que tu as raison d'agir ainsi. Tu as toujours raison. Tu as le courage et le bon sens de t'absenter du bureau afin d'explorer une nouvelle avenue. Ton problème d'aujourd'hui est très important. Je suggère qu'on en finisse avec ces bavardages ridicules et qu'on s'attaque au problème que tu souhaites résoudre avant le coucher du soleil. Je n'ai aucune crainte: tu sauras quoi faire.

Quelle est la réaction de l'enfant à ce que nous venons d'entendre?

Je suis de l'avis du protecteur, mais je pense que nous devrions d'abord faire une petite pause. J'aime bien m'amuser. C'est une journée splendide. Nous avons fait tout à l'heure une merveilleuse promenade en forêt, pourquoi ne pas y retourner? Je sais, nous avons été distraits de notre exercice; nous n'avons perçu aucun signe, nous n'avons rien appris. Tant pis. Cette fois, ce sera peut-être différent.

Quelqu'un d'autre désire-t-il énoncer son point de vue sur ce que nous venons d'entendre ou sur mon rôle en tant que président de séance?

Non? Le moment est venu pour nous d'entendre notre conseiller spécial, le moi supérieur. Moi supérieur, maintenant que toutes ces voix ont parlé, quel est votre point de vue? Si vous m'avez déjà transmis une image

onirique, un indice ou un symbole que je n'ai pas saisi, expliquez-le-moi. Que signifie-t-il? Quelles directives cherchez-vous à me transmettre?

La suggestion de l'enfant est bien tentante, mais je suis d'avis qu'il est encore trop jeune pour se voir confier la responsabilité de ce problème. Nous devrons œuvrer de concert pour parvenir à le résoudre avant le coucher du soleil, et je sais que nous ne sommes pas aussi efficaces en pleine nature, dont les beautés nous distraient. Je propose que nous restions ici, auprès du feu, et que nous tentions de nous mettre d'accord. C'est pour cette raison que je t'ai inspiré cette vision onirique. Souviens-toi que, sur le coup, elle t'a confondu. Je suis sûr que tu peux maintenant comprendre sa signification. Tu rêvais que tu étais en train de te noyer, mais soudain tes pieds ont touché le fond. Tu t'es aperçu que l'eau n'était pas profonde et que tu n'avais qu'à te mettre debout. Tu as fait une tempête dans un verre d'eau. Nous sommes beaucoup plus d'accord que tu ne le penses, et ta réponse est plus près de la surface que tu ne l'imagines. Je m'aperçois que l'éternel inquiet a quelque chose à dire. Parle.

Éternel inquiet: Je ne suis pas si sûr que nous soyons d'accord et qu'il suffise de se mettre debout pour régler ce problème. Le juge m'a beaucoup blessé par ses propos. Je ne suis pas un fainéant ou un bon à rien. Pourquoi veux-tu toujours me faire de la peine? Ça ne peut pas continuer comme ça. Je ne suis pas paresseux. Mais j'ai besoin de temps pour réfléchir. Pourquoi ne me fiches-tu pas la paix?

Juge: Si je te fichais la paix, tu perdrais ton temps, tu passerais tes journées à fainéanter et à plaisanter avec l'enfant. Comme lors du dernier exercice.

Protecteur: Ce serait bien que l'éternel inquiet s'amuse et plaisante un brin. Ce serait même très bien. Mais selon moi, ce n'est pas lui qui parle en ce moment. En réalité, nous entendons la voix du vulnérable, la voix que l'éternel inquiet tente de protéger.

Vulnérable: C'est vrai. Je suis reconnaissant à l'éternel inquiet de prendre si bien soin de moi. Mais il me semble que nous devrions chercher le moyen de mieux faire les choses. Je ne tiens pas à fuir mes responsabilités.

Juge: Je ne te crois pas.

Vulnérable: Si le moi supérieur t'assure que je dis la vérité, l'écouteras-tu?

Juge: Peut-être.

Moi supérieur: Vulnérable dit la vérité. Il représente cette partie de toi qui appelle au secours. Il n'est pas fainéant. En fait, en ce moment précis, il travaille vaillamment. Mais tu n'es pas habitué à ses méthodes.

Voix non identifiée: Tu es en train de te faire avoir, moi supérieur. Le juge a raison. Au lieu de rester ici à griffonner des bêtises, elle pourrait être au travail. Tout cela n'est pas très productif.

Moi supérieur: Qui es-tu?

Voix non identifiée: Je suis la dynamo, une copine du juge. Je veille sur ton bien-être. Je me débrouille pour que tu ailles travailler et que tu gagnes de l'argent. S'il n'en tenait qu'à moi, tu ferais des semaines de quatre-vingts heures. Sans moi, tu n'arriverais à rien.

Deuxième voix non identifiée: C'est faux. Je suis la super-femme guérie. C'est moi qui ai acheté ce livre. Auparavant, je travaillais quatre-vingts heures par semaine — exactement comme préconise la dynamo. Et où cela nous a-t-il menés? Nous sommes tous tombés malades. Voilà pourquoi nous sommes réunis aujourd'hui. Nous devons étudier le fait que j'ai réduit mes heures de travail à quarante ou cinquante, et que j'ai du même coup beaucoup augmenté ma productivité. Mais le patron est de l'avis du juge: il s'imagine que je perds mon temps. Vous n'êtes qu'une bande d'abrutis. Moi, je dois décider ce qui me reste à faire: revenir à mes anciens horaires afin de plaire à mon employeur ou lui offrir ma démission.

Juge: Veux-tu dire que ton rendement n'a pas du tout souffert de ta décision?

Super-femme guérie: *Au contraire*[1]. Le trimestre écoulé a été plus rentable pour moi qu'à l'époque où je me tuais à la tâche pour convenir à mon patron.

Dynamo: Le sait-il? Je parie que si quelqu'un le lui disait, il te laisserait tranquille.

Super-femme guérie: Non. Il ne marcherait pas. Selon lui, ce serait donner un mauvais exemple aux autres représentants des ventes.

Moi supérieur: Pourquoi ne pas lui demander de te verser une commission plutôt qu'un salaire?

Président de séance: Mmmm... pas bête. Jules a conclu un tel arrangement avec lui il y a plusieurs mois, et ça lui a réussi.

Juge: Ouais. Mais moi, je te connais. Si tu travaillais à commission, tu passerais ton temps à batifoler avec l'enfant. Tu perdrais ton temps. Nous crèverions de faim.

Enfant: Je ne veux pas mourir de faim! Je t'en supplie, super-femme guérie, ne me laisse pas crever de faim! Je ferai tout ce que tu voudras!

Super-femme guérie: Mon cher enfant, accepterais-tu de trouver de quoi t'occuper seul pendant que je gagne notre vie si je te promets (mais pas sur la Bible) de jouer avec toi en rentrant à la maison?

Enfant: C'est promis.

Moi supérieur: Alors ça va? Nous sommes d'accord? Super-femme guérie demandera à son patron d'être rémunérée à la commission et l'enfant la laissera travailler en paix pour qu'elle puisse gagner notre vie. Tout le monde est d'accord?

---

1. En français dans le texte. (N.d.t.)

Dynamo: Pas de problème.

Protecteur: Si tu crois que c'est pour ton bien, je suis d'accord, ma chérie.

Vulnérable: Mais tu dois promettre de prendre bien soin de moi.

Éternel inquiet: Je ne suis pas convaincu, mais bon, je veux bien essayer.

Moi supérieur: Et toi, juge? Tu as cru que la super-femme guérie courait au désastre quand elle a réduit ses heures de travail, mais son rendement s'est amélioré. Dynamo, éternel inquiet, protecteur, enfant, critique... vous avez tous le bien de notre président de séance à cœur. Êtes-vous prêts à collaborer pour le maintenir sur le droit chemin? Saurez-vous respecter vos engagements?

Juge: Oui, dans l'ensemble. Mais je veux qu'on sache que cette solution ne me convient pas tout à fait. Toutefois, puisque le conseil l'a appuyée en tenant compte de mon point de vue, je me range à l'opinion de la majorité.

Moi supérieur: J'apprécie ta générosité, juge. Alors, voici: c'est vrai que, parfois, tu étais dans le vrai. Pourquoi ne pas mettre cette solution à l'essai pendant un mois ou deux? Notre président de séance pourrait demander à son employeur de recevoir une commission plutôt qu'un salaire pendant quelque temps, histoire de s'assurer que tous assument leur part de responsabilité. Si ça ne marche pas, elle peut toujours revenir à son ancienne forme de rémunération. C'est entendu?

Toutes les voix: C'est entendu.

Président de séance: Membres du conseil, moi supérieur, je vous remercie pour le temps et les efforts que vous avez consacrés à cette affaire. La séance est levée.

13
L'épreuve du prophète

DANS CE DERNIER CHAPITRE consacré à la cinquième heure («Des voix multiples»), nous nous pencherons à nouveau sur cette interrogation: Comment savoir laquelle de ces voix est la vraie?

La réponse est: toutes vos voix intérieures sont «vraies». Toutes contribuent à vous aider, toutes jouent un rôle important. En participant à un débat intérieur, elles se mettent à l'épreuve les unes les autres et s'efforcent de parvenir à un consensus. Si, plus tôt dans la journée, vous avez connu un moment de révélation, vous pouvez évaluer la voix qui s'est ainsi adressée à vous en la soumettant à l'appréciation de ses consœurs par le biais de l'exercice que vous venez de faire. Si la révélation que vous avez reçue est une promesse d'harmonisation à l'ordre secret de l'univers, les critiques les plus sévères ne l'affecteront pas. Dans le cas contraire, vous découvrirez sans doute bientôt que la solution parfaite à laquelle vous aviez cru n'était que le produit de votre imagination.

Je me souviens très bien des circonstances entourant l'obtention de ma ceinture brune en karaté. J'étais passée de ceinture blanche à ceinture orange avec passion et dynamisme. Le karaté m'avait permis de constater que j'étais animée d'un souci d'autodiscipline que je ne croyais pas posséder. Je me sentais forte, stable, bien ancrée dans l'existence, tant au point de vue physique que sur le plan mental et spirituel. Le karaté avait pris une place prépondérante dans ma vie, d'autant plus que Dan et moi l'étudiions ensemble. Mais entre l'obtention de ma ceinture orange et celle de ma ceinture brune, je devins enceinte. Soudain, tout ce qui m'avait paru aisé est devenu difficile. Je n'étais plus aussi motivée, mais, me rendant aux arguments de mon sensei, je finis par obtenir ma ceinture brune, m'interrompant tout juste le temps nécessaire pour accoucher de ma fille Jody. Quand je repris mes cours après sa naissance, la situation ne s'était pas améliorée. En dépit des encouragements que me prodiguait mon mari, je devais lutter sans répit pour ne pas perdre le peu de motivation qui me restait.

Un jour, au plus creux de ce conflit avec moi-même, je fis une promenade sur le sentier bordé d'ajoncs qui longeait la baie de San Francisco près de notre résidence de Marin County. Je me mis à l'écoute de mes voix intérieures, entreprise difficile puisque je ne savais pas encore les faire participer au débat que j'ai décrit précédemment. Une voix étouffait toutes les autres. Elle était si autoritaire que je la crus d'origine divine. Elle me signala que nous traversons tous des moments difficiles et que la solution ne réside pas dans la fuite, mais bien dans la persistance. Je devrais me consacrer encore plus qu'auparavant au karaté, jusqu'à l'obtention de ma ceinture noire. Le jeu en valait la chandelle. J'obéis à la voix et agis comme elle m'enjoignait de la faire.

Pendant plusieurs semaines, je me forçai à confier mes enfants, Jody et Grant, à leur gardienne pour me rendre à mes cours. Aux côtés de Dan, je travaillais d'arrache-pied. Puis, un soir, j'aperçus mon reflet dans la glace: une coquille en uniforme blanc concentrée sur la perfection d'un *kata*. L'uniforme, le miroir, la silhouette: je compris que je n'étais guère plus qu'une ombre accomplissant mécaniquement un rituel, que l'énergique praticienne des arts martiaux que j'avais déjà été n'existait plus. Je sus sans l'ombre d'un doute que mon développement spirituel ne résidait pas dans la pratique du karaté — du moins, pas dans un sens physique, et je décidai d'appliquer ma science à un domaine plus pressant de mon cheminement spirituel: la maternité. Toute mon expérience du karaté avait servi à me préparer à ce moment. L'heure était venue pour moi d'abandonner cet art et de poursuivre ma vie. Je renonçai à ma ceinture noire. Si difficile qu'il me fût d'observer Dan tandis qu'il s'efforçait de parvenir seul à l'objectif que nous nous étions fixé en commun, je capitulai. Comme je faisais part de ma décision à mon sensei, l'appréhension que j'avais de sa réponse fit place à une vague de compassion envers moi-même, de compréhension et d'humilité. Je m'étais acharnée à obtenir ma ceinture brune parce que j'avais eu peur de perdre tout ce à quoi j'avais aspiré si je m'interrompais avant de parvenir au but. J'ignorais alors ce que je sais maintenant: on ne peut perdre ce qu'on a acquis, même lorsqu'on s'en sépare.

Mais que dire de la voix que j'avais entendue ce jour-là près des ajoncs et de la force de son autorité? Dans le sillage de ma décision, je me rendis enfin compte que je lui avais obéi toute ma vie durant. Cette voix m'avait appris que la souffrance, le sacrifice et la discipline sont le prix de notre développement spirituel. Cette voix était celle de ma culpabilité. Je m'accordais depuis toujours la permission de nier les élans instinctifs qui m'enjoignaient de me dorloter et de dorloter mon bébé. Commandées par mon *ego*, mes émotions avaient su assourdir la voix de ma conscience supérieure. En renonçant à ma ceinture noire afin de mieux m'occuper de mes enfants et de moi-même, progressais-je ou régressais-je? À ce moment précis de ma vie, renoncer aux récompenses illusoires de la maîtrise du karaté et me blottir dans mon envie prosaïque et humaine d'entourer ma famille d'amour et de chaleur signifiait m'engager dans la voie de l'héroïsme.

Je ne disposais pas alors d'un exercice comme celui que je vous ai transmis pour me familiariser avec moi-même et pour identifier les voix multiples qui occupaient mes pensées. Pourtant, je parvins à me frayer un chemin parmi les opinions contradictoires qui encombraient mes facultés cognitives. Je suis reconnaissante d'avoir aujourd'hui en main un outil qui puisse me venir en aide lorsque je suis confrontée à un dilemme de cette nature, mais je me garde bien de croire qu'il m'apporte une protection infaillible contre les complications de l'existence.

L'exercice que vous venez de faire ne doit pas devenir une habitude, servir à freiner le déroulement de votre destinée ni vous empêcher de tirer des enseignements de vos erreurs en raison d'une confiance trop grande en votre aptitude à discerner le vrai du faux. Vous serez tenté, au début, d'en abuser, mais, avec le temps, vous oserez vous fier davantage à vos intuitions en vous contentant de les soumettre à une épreuve aussi empirique que celle du «frisson» (rappelez-vous la dame dont j'ai parlé précédemment et sa réconciliation avec sa fille).

Quoi qu'il en soit, cette anecdote concernant mes études de karaté, si anodine soit-elle, nous entraîne sur un terrain spirituel plus cahoteux et potentiellement glissant. En effet, comme l'illustre cette histoire, ce n'est pas parce que nous avons l'impression très nette de recevoir un message clair du divin que nous pouvons nous vanter d'avoir tout compris. Nous sommes tous portés au grandiose. Il est facile de croire que, parce que nous avons effleuré notre sagesse intérieure (ou, dans mon cas, ma culpabilité), nous avons reçu la mission divine de transmettre un message à l'humanité tout entière. Depuis que j'écris des ouvrages de spiritualité et que j'étudie la théologie, j'avoue avoir parfois été victime de cette ambition illusoire.

Mais le fait de croire que Dieu vous a ordonné d'obtenir votre ceinture noire en karaté ou d'écrire un ouvrage de développement personnel n'est qu'un aspect du problème. Lorsqu'une personne s'imagine que Dieu lui a donné l'ordre d'assassiner un médecin d'une clinique de planification familiale ou de se joindre aux membres d'une secte, c'est une autre paire de manches. Si vous croyez avoir été choisi pour transmettre la parole divine au genre humain, ou si vous rencontrez une personne qui se dit inspirée par Dieu, qu'il s'agisse d'un médium, d'un adepte d'une secte, d'un révolutionnaire, d'un auteur, d'une personnalité politique, d'un animateur de débats télévisés ou d'un télévangéliste, soumettez leur message à l'examen minutieux de votre conseil d'administration intime. Invitez cette voix à participer au débat. Vous serez ainsi en mesure de vous protéger contre la séduction d'individus convaincus qui s'efforceront de vous attirer dans leur orbite.

J'espère vivement qu'en vertu des explications et des démarches qui précèdent vous aurez compris les complexités, les répercussions, la gravité et les écueils d'une telle prise de contact avec vos voix intérieures et celles d'autrui.

J'espère vivement que votre intuition et votre sagesse vous aideront à saisir combien il est important pour vous de vous affranchir des restrictions que vous impose le fonctionnement rationnel de l'hémisphère gauche. Si vous y parvenez, si vous résistez à la tentation de résoudre vos problèmes à mesure qu'ils se présentent, vous serez animé d'un tout autre dynamisme: le désir de vivre le plus pleinement possible, confiant que vos dilemmes et leur résolution procéderont de l'enrichissement de votre personnalité et de votre évolution spirituelle.

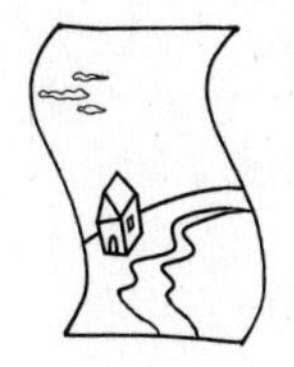

sixième heure

Onze questions

14
L'heure de vérité

Outre l'intellect, quelque chose de merveilleux œuvre en tout être humain supérieur, une compréhension spontanée [...] la perception intuitive qu'un équilibre parfait, dans l'espace et le temps, régit ces éléments hétéroclites, ce bateau ivre, cette incroyable fantaisie, cette chose si fragile que nous appelons le monde.

Walt Whitman

JE VOUS AI PROMIS une réponse avant le coucher du soleil. Si vous n'avez pas encore reçu de révélation, la démarche que vous entreprendrez dans l'heure qui vient la provoquera sans doute. La chose s'est produite pour un très grand nombre de participants à mes ateliers; elle est tout aussi possible pour vous.

Cette révélation est cependant soumise à une condition. La méthode que vous propose *Ne t'endors jamais le cœur lourd!* n'est efficace que si vous entérinez les quatre hypothèses développées dans ce livre. Rafraîchissons votre mémoire:

1. L'univers est soumis à un ordre invisible.
2. Notre salut consiste à nous ajuster harmonieusement à cet ordre invisible.

3. Les causes de notre mauvais alignement avec l'univers sont fortuites et surmontables.
4. Des forces qui dépassent notre entendement contribuent déjà à la résolution de nos problèmes.

Si, au terme de la prochaine heure (et, pour la bonne mesure, de la dernière), vous ne détenez toujours pas la solution à votre dilemme, la raison en est sans doute que vos certitudes inconscientes entrent en conflit avec ces prémisses. La situation n'est pas sans espoir. Au contraire, le fait d'avoir appris à fouiller vos certitudes et de découvrir ce à quoi vous croyez vraiment constitue un bienfait inappréciable. En provoquant l'émergence de vos pensées inconscientes, vous devenez apte à choisir celles que vous désirez conserver, celles dont vous préférez vous débarrasser et celles que vous entérinerez. De tels choix affecteront votre expérience de la vie, car les croyances auxquelles vous continuerez d'adhérer auront des répercussions importantes sur votre vie spirituelle.

Permettez-moi de vous signaler en passant que votre réalité spirituelle n'est pas de votre ressort. Nous avons tous certaines croyances spirituelles. Selon le *Petit Robert*, le mot «spiritualité», qui dérive du latin ecclésiastique *spiritualitas,* désigne ce «qui est esprit, de l'ordre de l'esprit considéré comme un principe indépendant», et ce qui est «propre ou relatif à l'âme, en tant qu'émanation et reflet d'un principe supérieur, divin». Il ne s'agit donc pas de savoir si vous possédez une riche spiritualité — bien que, comme tout le monde, vous ayez un esprit. Il s'agit plutôt de déterminer si les croyances auxquelles vous adhérez rehaussent votre rapport à l'ordre invisible de l'univers, ou si elles contribuent à l'affaiblir. Si à vos yeux la nature humaine est foncièrement méchante, vous vous laisserez facilement berner par l'idée de sa soumission à des puissances extérieures. Si, au contraire, vous croyez à sa bonté intrinsèque, vous envisagerez les méthodes que je vous propose dans ce livre avec largeur de vues. Croyez-vous qu'en ce monde ce soit «chacun pour soi»? Votre vie sera un combat perpétuel. Croyez-vous qu'affranchie de ses peurs et de ses résistances la nature humaine soit foncièrement aimante? Vous favoriserez les relations constructives et la solidarité. Que nous le voulions ou non, nous croyons tous à quelque chose. Mais lorsque nous ne sommes pas profondément conscient de notre perception de l'existence, nous en sommes la victime plutôt que le véhicule. Un examen de conscience minutieux et sincère favorise l'émergence de nos certitudes. Vous devenons alors en mesure d'abandonner celles qui n'ont plus leur raison d'être et d'en adopter de nouvelles en toute lucidité.

Ralph Waldo Emerson affirme que tout individu doit impérativement choisir entre le vrai et la passivité. Celui qui opte pour la passivité

> [...] succombe au premier credo, à la première philosophie, au premier parti politique qu'il connaît — vraisemblablement celui du père. Il jouit ainsi de repos, de confort et d'une réputation; mais il se ferme à la vérité. Celui chez qui prédomine l'amour du vrai [...] se soumet aux inconvénients du suspense et de l'imperfection des points de vue, mais, à l'inverse du premier, il peut accéder à la vérité.

Dans un échange de vues avec Bill Moyers dans *The Power of Myth*, Joseph Campbell compare les croyances d'un individu à un logiciel informatique. L'individu charge ce logiciel dans son ordinateur, et celui-ci se comporte en fonction des données reçues. Si le résultat est insatisfaisant, il suffit d'en modifier le programme. Joseph Campbell aimait manipuler ces données, leur ajoutant des idées nouvelles et en retranchant celles qui ne lui étaient plus utiles.

S'il vous semble que votre logiciel soit atteint d'un virus, cessez pour un temps de chercher une solution à votre problème d'aujourd'hui et efforcez-vous plutôt de remplacer vos valeurs par des valeurs plus saines et plus productives. Cela fait, vous pourrez toujours revenir aux exercices que je vous propose pour résoudre votre problème d'aujourd'hui et vos dilemmes futurs. Je suis fermement convaincue qu'ils vous seront d'un grand secours en toute circonstance.

Je puis l'affirmer parce que je crois en une puissance supérieure qui nous vient en aide, en un dessein plus vaste où notre évolution a un rôle à jouer. Vous ne seriez pas confronté aujourd'hui au dilemme qui vous torture l'esprit si une infinité de miracles ne s'étaient pas déjà produits. Songez au moment de votre conception. Des milliards de spermatozoïdes, libérés dans un milieu hostile, ont dû se battre entre eux pour atteindre leur but. Un seul d'entre eux y est parvenu. Une multitude de facteurs ont dû se combiner pour que puissent être réunies les caractéristiques physiques, émotionnelles, intellectuelles et spirituelles qui font de vous la personne que vous êtes. Si le spermatozoïde vainqueur avait été différent, s'il avait fertilisé un autre ovule, vous ne seriez pas *vous*. Vous n'êtes pas le seul dans ce cas. Il en a été de même de vos parents et de leurs parents à eux, et des générations qui les ont précédés, jusqu'à la toute première manifestation de la vie humaine sur terre.

Vous détenez la preuve indiscutable qu'avec le temps les actions de la nature qui favorisent la vie l'emportent sur celles qui la suppriment. Votre existence même en est la démonstration. Votre présence ici et celle du monde avec lequel vous interagissez ne découlent d'aucune rationalité, d'aucune logique. Votre existence est un profond mystère. Avec ceux qui vous ont précédé, vous avez survécu aux guerres, aux pestes, aux holocaustes afin de pouvoir être ici, de pouvoir lire le texte que vous parcourez des yeux en ce moment. Vous êtes la manifestation actuelle de ce mystère dans le temps et l'espace.

Or, je vous le demande, n'est-il pas raisonnable de penser que ce dessein occulte puisse entériner les vertus profondes qui contribuent à assurer l'évolution de la vie terrestre, soit le courage, la foi, l'acceptation et l'amour? Il importe peu aux puissances supérieures que vous acquériez la maison de vos rêves ou que vous soyez promu au rang de président d'entreprise. Mais vous *pouvez* compter sur ces puissances occultes pour la survivance des attributs essentiels à l'évolution de toute vie sur terre. Si vos ambitions contribuent à former votre caractère, à vous instiller la foi, à vous rendre tolérant, à aimer, et si ces ambitions ne contredisent pas la réponse que vous cherchez, il est fort probable que l'univers vous aidera à trouver une solution, peut-être même une solution qui dépasse vos espérances. Vous mettrez les chances de votre côté, car votre détermination à résoudre votre dilemme est la manifestation même de l'ordre secret de l'univers. Quel que soit le nom que vous donniez à ces puissances occultes — tao, énergie vitale, univers, Dieu — elles sont là pour vous accompagner dans votre cheminement vers l'éveil spirituel. Vous avez la responsabilité de perdre vos illusions de pouvoir et d'apprendre à vous fier à vos intuitions. Ayez confiance en ce qui vous inspire. Soyez le véhicule de ces puissances invisibles; votre engagement vous soufflera la réponse.

Démarche:
Les onze questions

Vous devez maintenant répondre à onze questions. Consacrez à chaque réponse tout le temps nécessaire. Cinq minutes par question devraient cependant suffire.

Pour cet exercice, vous pouvez faire appel autant que vous en ressentez le besoin à votre hémisphère gauche. Ne vous préoccupez pas de savoir si la voix qui vous parle vient de l'hémisphère gauche ou de l'hémisphère droit; contentez-vous de donner le meilleur de vous-même, confiant que les plus évoluées de vos voix vous seconderont dans cette démarche. (Bien entendu, vous êtes libre de soumettre vos conclusions à l'examen de votre conseil d'administration.)

Première question
Quel problème tenez-vous le plus à résoudre en ce moment?

Il se pourrait que ce soit le dilemme qui vous occupe depuis ce matin, mais ne soyez pas surpris si un problème inattendu et inédit surgit. Inutile de vous acharner à identifier le véritable obstacle auquel vous êtes confronté. Celui qui vous viendra à l'esprit conviendra tout à fait. Abordez chaque nouveau dilemme un à un. Vous pouvez toujours retracer vos pas et concentrer votre attention sur le problème que vous avez identifié ce matin si, comme c'est souvent le cas, sa solution ne vous a pas été indirectement inspirée par le travail que vous faites en ce moment.

Deuxième question
Quel dénouement espérez-vous?

L'occasion vous est donnée ici de formuler exactement vos attentes. Il n'est pas nécessaire d'être rationnel ou pratique, ni même d'être soumis. L'important, à cette étape, est d'exprimer vos désirs et vos besoins avec la plus grande sincérité possible. Que vos attentes soient ou non réalistes ne devrait pas être pris en considération.

Êtes-vous capable de vous accorder ce droit au rêve? Vos désirs sont sacrés. Sachez les respecter, même s'ils entraînent dans leur sillage un peu d'indécision et d'inquiétude, de doute et d'appréhension. Ce que vous voulez vraiment est l'essence même de votre vie.

Vos rêves sont des balises, le principe directeur qui guidera votre esprit. C'est vrai, je vous ai conseillé plus tôt de renoncer aux objectifs qui provoquent un état de stress, mais vous devez quand même vous fixer des objectifs. Il n'y a aucun mal à se créer des rêves et à s'efforcer de les réaliser. Vous en avez le droit. Vous avez le droit de demander ce que vous voulez. Vous avez le droit à un rapport significatif avec l'ordre invisible de l'univers. Acceptez seulement qu'il soit possible que vous n'obteniez pas ce que vous espériez, mais quelque chose de plus grand. Vos objectifs ne doivent pas constituer un frein aux possibilités du destin.

Troisième question

Qu'avez-vous fait, jusqu'à présent, pour résoudre votre problème?

Que diriez-vous de voir dans vos efforts, quel que soit leur résultat, non pas les gestes d'une victime, mais bien ceux d'un héros? Vous savez en quoi consiste un héros. Songez aux personnages de films à grand déploiement, tel Jason ou Ulysse, aux monstres qui surgissent en crachant le feu, aux sabres qui tailladent leur peau caoutchouteuse. Répondez-moi: quand Jason devient-il un héros à vos yeux? Au dernier moment, quand il a terrassé le monstre, quand il brandit enfin la Toison d'or? Que non. Jason est un héros dès l'instant où le titre du film apparaît sur l'écran. Si le monstre a le dessus pendant quelque temps, Jason n'en est pas moins un personnage héroïque. Pourquoi? Parce que vous croyez fermement qu'à la fin, c'est lui qui triomphera.

Répondez-moi encore: quand êtes-vous un héros à vos propres yeux? Le jour où vous parvenez à acheter votre première BMW? Lorsque votre employeur vous accorde enfin la promotion attendue? Lorsque votre fils est admis à l'université de son choix? Que se passe-t-il si votre BMW tombe en panne, si vous détestez vos nouvelles fonctions, si votre fils décroche afin de «se trouver»? Votre héroïsme dégringole-t-il alors, au contraire de celui que vous attribuez aux vedettes de l'écran? Sachez vous apprécier non seulement quand, au sommet de la montagne, vous brandissez bien haut la Toison d'or, mais aussi quand vous combattez les Méduses et les dragons qui font irruption dans votre vie.

Quatrième question
Qu'est-ce qui, dans votre approche, s'est révélé inefficace?

Votre plus grande erreur est aussi votre plus grand bien: vous avez rayé à jamais une option de votre liste. William James écrit:

> Dans la mesure où il souffre de ses erreurs et peut porter un jugement sur celles-ci, l'individu peut les transcender et espérer toucher un plan supérieur. [...] Il acquiert la conscience que ce plan supérieur jouxte et prolonge un PLUS de même qualité qui œuvre dans un autre univers que le sien, avec lequel il peut maintenir un contact productif; il peut en quelque sorte s'y embarquer et y trouver un salut, alors même que tout son être inférieur périt dans le naufrage.

Cinquième question
Quel avantage avez-vous retiré de cette situation?

Si difficile qu'il vous soit de l'admettre, tout malheur est porteur de bienfaits. A-t-on été plus attentif à vous? Vous a-t-on exprimé de la compassion? Avez-vous entrepris une thérapie? Avez-vous participé à des ateliers? Vous êtes-vous offert des cadeaux, par exemple ce livre? Quels avantages avez-vous retiré du problème que vous avez choisi de résoudre aujourd'hui?

Sixième question
Connaissez-vous une meilleure façon de profiter de tels bienfaits?

Tout ce temps, vous avez permis à votre courage de grandir. Vous avez attendu patiemment le moment de vous avancer et d'exiger pour vous-même plus de bien-être, de respect et de dignité. Jusqu'à aujourd'hui, vous pensiez devoir d'abord atteindre la perfection: vous avez consacré tant d'efforts à la maîtrise de soi, vous avez fait l'impossible pour réduire au silence les voix qui vous exploitaient et vous nuisaient. Le *Yi-king* dit:

> Quand nous avons enfin le courage de regarder les choses en face, sans mensonge ni illusion, une lumière jaillit et illumine pour nous le chemin du bonheur.

Septième question
Comment pouvez-vous faire en sorte de changer la situation présente?

Cette question exige une réponse honnête et courageuse. Vous devrez démêler les fils qui embrouillent vos problèmes, identifier ceux que vous pouvez changer et ceux devant lesquels vous demeurez impuissant. L'épreuve vous semblera sans doute sans espoir. Mais vous pouvez toujours changer quelque chose, ne serait-ce qu'un détail, à votre situation. Si vous ne pouvez rien contre les circonstances, du moins pouvez-vous transformer votre attitude. À cette étape-ci, il est sans doute trop tôt pour vous demander ce que vous pourriez faire pour transformer la situation présente. Mais vous pouvez quand même vous efforcer de créer les conditions les plus propices à la découverte d'une solution.

Huitième question

Quels aspects de cette situation devez-vous accepter?

Vous pouvez influencer le monde extérieur, mais vous ne pouvez pas l'obliger à vous obéir. Lorsque vous ne pouvez plus trouver un refuge dans l'illusion, vous devez découvrir *qui* vous êtes, lavé de tout faux espoir et affranchi de l'opinion d'autrui. Vous vous demandez: Que puis-je faire depuis que j'ai perdu mes illusions? Lorsqu'on se débarrasse de ses illusions, on a parfois l'impression que notre vie s'écroule. Lâchez prise. Croyez fermement qu'une vie humble érigée sur des bases solides vaut infiniment mieux qu'une existence spectaculaire érigée sur du sable. Quand vous serez capable de voir tout ce que vous avez construit sur les sables mouvants de l'illusion, vous accepterez de prendre des risques. Pourquoi? Parce que vous saurez que vous n'avez plus grand-chose à perdre.

Neuvième question

Qu'appréhendez-vous le plus de cette situation?

Nous craignons de prendre des risques, car l'inconnu nous terrifie. Nous avons peur de ce que nous ne pouvons pas contrôler, car, en vérité, nous appréhendons l'échec. Cette peur de l'échec est ce qui a donné naissance à notre besoin de tout contrôler. Cela ne signifie pas que vous n'aurez plus jamais peur. Il est normal, parfaitement humain et même tout à fait approprié d'éprouver de l'anxiété devant les risques que nous nous apprêtons à prendre.

Il est essentiel, surtout en période de transition, de vivre à fond toutes nos émotions. La tristesse et la douleur de perdre quelque chose;

l'enthousiasme devant l'avenir; la douce impatience qu'entraîne la prise de conscience du nouvel être qui prend racine dans votre âme. Vous utilisez une plus grande proportion de vos dons. Vous êtes mieux ancré dans la réalité. Vous risquez moins de vous endormir au volant de vos illusions.

Il ne s'agit pas de savoir comment cesser d'avoir peur, mais bien comment faire en sorte que cette peur s'intègre normalement et d'une façon constructive au vaste éventail d'émotions qui composent l'essence de tout être.

Dixième question

Quelle est la vraie nature de ce problème?

Quand vous dites la vérité, dites toute la vérité. Êtes-vous de ceux qui se complaisent dans le drame de leur vie, qui rampent dans les bas-fonds de leurs émotions? Quand vous dites toute la vérité, vous devez accepter vos bons côtés et les aspects positifs de votre problème tout autant que ces aspects que vous aimeriez améliorer. Il est souvent tentant de se laisser aller à croire que l'apitoiement sur soi est une forme d'évolution. Mais dites toute la vérité, et vous constaterez que, si certaines choses s'effritent, d'autres tombent tout naturellement en place.

Onzième question

Qu'êtes-vous disposé à faire pour trouver la solution que vous cherchez?

Lorsque votre volonté l'emporte sur vos appréhensions, cette part de vous-même qui peut accueillir la réponse que vous désirez et méritez vraiment vous devient accessible. Vous n'étiez pas encore, au moment de commencer ces exercices, la personne que vous êtes devenue. Parfois vous devez accepter de faire un geste public; parfois votre cœur seul est concerné. Il se peut que le résultat d'une telle action ne vous soit pas encore connu. La vie n'offre aucune garantie. Une seule chose est sûre: lorsque vous décidez d'agir, vous mettez en action des forces qui vous harmoniseront avec l'ordre secret de l'univers. Ayez confiance: vous êtes parvenu exactement là où vous devez être en ce moment précis pour votre plus grand épanouissement.

Onze questions modèles

Première question
Quel problème tenez-vous le plus à résoudre en ce moment?

Je suis furieux et bouleversé qu'on ne pense pas à moi pour le poste de direction qui vient de se libérer dans l'entreprise qui m'emploie. Je suis le candidat le mieux qualifié. J'ignore pourquoi on me tient à l'écart.

Deuxième question
Quel dénouement espérez-vous?

Je veux ce poste.

Troisième question
Qu'avez-vous fait, jusqu'à présent, pour résoudre votre problème?

Je me suis efforcé de me faire remarquer par la qualité de mon travail, afin que l'on songe à me confier ce poste.

Quatrième question
Qu'est-ce qui, dans votre approche, s'est révélé inefficace?

Je crois que les directeurs n'ont pas une très bonne opinion de moi. Ou bien, ils pensent que ce poste ne m'intéresse pas.

Cinquième question
Quel avantage avez-vous retiré de cette situation?

J'ignorais désirer à ce point cette promotion.

Sixième question
Connaissez-vous une meilleure façon de profiter de tels bienfaits?

Je pourrais réfléchir davantage à ma carrière et développer une stratégie qui me permette d'atteindre mon objectif, au lieu de consacrer toute mon énergie à travailler. Je suppose que je me protégeais en ne disant rien. Cela m'évitait d'avoir à essuyer un refus.

Septième question
Comment pouvez-vous faire en sorte de changer la situation présente?

Je n'ai pas dit à mon employeur que je désirais ce poste et que j'avais les qualités requises pour l'occuper. Je peux faire en sorte de le lui dire. Mais cela me terrifie. S'il rejetait ma candidature?

Huitième question
Quels aspects de cette situation devez-vous accepter?

Si je prends le risque d'exprimer mes désirs, rien ne m'assure que l'on me confiera ce poste. Je dois accepter de ne pouvoir faire plus, de ne pouvoir décider pour les autres. Mais en ce moment, je suis trop nerveux. Je dois d'abord accepter le fait que je manque de courage.

Neuvième question
Qu'appréhendez-vous le plus de cette situation?

J'ai peur qu'on me congédie.

Dixième question
Quelle est la vraie nature de ce problème?

On ne me congédierait jamais pour avoir posé ma candidature à ce poste. Je fais de l'excellent travail. Il se pourrait bien que la direction pense que ce poste ne m'intéresse tout simplement pas.

Onzième question
Qu'êtes-vous disposé à faire pour trouver la solution que vous cherchez?

J'ai trop peur d'affronter le grand patron — mais je pourrais voir son adjoint et essayer de savoir si l'on a pensé à moi. Je n'aimerais pas me sentir ridicule, mais ce poste m'importe plus que je ne le pensais. Je demanderai à son adjoint de me mettre au parfum, puis j'aviserai. Demain matin, à la première heure, j'irai voir l'adjoint du directeur. Si je me rends compte que j'ai bâclé cette situation au point de me couper l'herbe sous le pied, je consulterai le conseiller professionnel dont m'a parlé mon copain Paul, et j'essaierai de voir clairement ce que je dois faire.

15
À quel prix estimez-vous vos rêves?

DEUX D'ENTRE VOUS, au moins, déposeraient volontiers à mes pieds leur problème le plus grave, celui que rien ne saurait résoudre avant le coucher du soleil.

Le premier de vous me demande: que faire d'un problème d'argent? Rien n'est plus concret que l'argent — vous le dites vous-même.

Le soir tombe. Vous me dites que vous êtes épuisé. Vous voulez à tout prix transformer votre vie et prendre des risques. Mais vous ne disposez pas des ressources financières, physiques et émotionnelles nécessaires à cette transformation. Vous êtes pris au piège!

À ceux chez qui l'esprit est fort mais le portefeuille faible, je pose la question suivante: Si vous disposiez tout à coup de 60 000 $ et de plusieurs années de liberté, que feriez-vous de tout ce temps et de tout cet argent? Cela suffirait-il à vous transplanter ailleurs, à vous rapprocher de l'endroit de vos rêves? Que feriez-vous? Mettriez-vous sur pied une équipe de consultants? Retourneriez-vous aux études? Choisiriez-vous d'acquérir la formation nécessaire à une nouvelle carrière? Consacreriez-vous tout votre temps à la recherche d'un meilleur emploi? Transporteriez-vous vos pénates dans un pays étranger où le coût de la vie est moins élevé ?

Ce ne sont pas là de vaines rêveries. Je suis plongée dans un milieu rempli d'individus qui ont réussi à dénicher le temps et l'argent nécessaires à un grand changement dans leur vie, soit leurs études à la Divinity School. Ces personnes de tout âge ont répondu à la question suivante: «À quel prix estimez-vous vos rêves?» Ils ont réuni la somme nécessaire à force d'emprunts, d'épargne, d'hypothèques, d'emplois à temps partiel et de bourses, sommes qui, pour la plupart, devront être remboursées une fois les études terminées. En vérité, on ne saurait réunir un groupe plus pauvre, plus dynamique et plus inspiré.

Bien entendu, vous préféreriez ne pas puiser dans vos économies, compromettre votre style de vie, vous endetter, mettre votre avenir en péril. Mais vous devez vous poser cette question: *quel prix suis-je disposé à payer pour réaliser mes rêves?* Êtes-vous disposé à renoncer à votre confort et à votre sécurité pour financer votre passage à un plan supérieur? C'est vrai, les bourses d'études et la vie modeste des étudiants sont plus glorieuses que les sacrifices qu'exigent certains rêves. Mais pourquoi les gens d'affaires et les professionnels qui souhaitent transformer leur vie auraient-ils moins confiance en leur avenir que mes camarades de cours?

Voici ma suggestion. Premièrement, imaginez ce qu'il en coûterait, en temps et en argent, pour vous rapprocher de la vie rêvée. Puis, énumérez toutes les sources de financement possibles. Élaborez un plan de remboursement prenant effet dès cette transition conclue, quand vous retirerez un revenu de votre nouvelle situation.

Mais c'est très risqué, dites-vous. Voilà! Vous avez mis le doigt sur le bobo. Vous pensiez vouloir résoudre un problème d'argent avant le coucher du soleil? Erreur. Votre problème est un problème de foi.

Depuis plusieurs dizaines d'années, nous avons développé un concept erroné de la foi. Combien d'ouvrages de développement personnel, d'animateurs d'émissions de télévision, de gourous célèbres ne nous ont-ils pas répété que «rien n'est impossible à ceux qui écoutent leur cœur»? Voilà ce que l'on croit être la «foi». Même lorsqu'il parle de soumission et d'acceptation, James Redfield, dans *La Prophétie des Andes*, déclare que si nous nous harmonisons aux courants d'énergie universelle, les tomates de notre jardin seront plus grosses que celles du jardin du voisin. Comme il est facile de dévier de notre confiance en cet ordre invisible qui se manifeste par notre entremise — peu importe ce que nous pensions des résultats — afin de conclure, avec le divin, un marché matérialiste: je fais ce qu'il faut pour être en harmonie avec l'invisible et, en échange, j'obtiens tout ce que je désire. En vérité, la foi n'a rien à voir avec ce que Dieu peut faire pour nous. En grand nombre (moi comprise) nous communions avec notre sagesse intérieure, nous perdons nos illusions, nous prenons, avec la spiritualité, des risques qui font appel à notre courage, nous nous mettons à l'écoute des messages que nous livrent notre prochain et notre environnement, nous faisons l'expérience de la souffrance. Cela nous autorise-t-il à ouvrir les bras et à tendre la main pour recevoir notre récompense comme si notre spiritualité pouvait à elle seule transformer notre vie à notre guise? Pourtant, quand j'entends les gens affirmer que l'on doit «créer sa propre réalité», je me dis que c'est précisément de cela qu'il s'agit. L'anecdote qui suit illustre très bien ces propos.

Mon amie Denise avait littéralement les bras ouverts et la main tendue lorsqu'elle a compris avec quelle facilité l'on peut se tromper de route avec les meilleures intentions du monde. Denise hésitait entre continuer à exploiter avec son mari, Joe, le service de traiteur qu'elle possédait depuis vingt ans ou réaliser son vieux rêve d'écrire des livres de recettes de cuisine. Joe était ravi des possibilités qui s'offraient à Denise, mais interrompre leur collaboration signifiait qu'il serait, pendant un certain temps, le seul soutien du couple. Profondément troublée par ce dilemme, Denise se retira en forêt pour méditer, en se jurant de faire preuve de courage, de sincérité et de diligence dans sa quête de spiritualité. Résultat, elle passa une grande partie de la journée à combattre la rationalité de son hémisphère gauche afin de favoriser l'émergence de son intuition. Elle sentait que la réponse cherchée luttait pour percer la surface de sa conscience. Au faîte de sa médiation, tout ce que ses yeux rencontraient lui paraissait lourd de sens. Elle crut la solution toute proche. C'est alors qu'un prurit insoutenable l'assaillit. Par mégarde, elle s'était installée pour méditer au beau milieu d'un carré d'herbe à puces[1].

Le corps parcouru de démangeaisons, elle se tourna vers Dieu:

«Mon Dieu, fit-elle, qu'ai-je fait de mal? J'essaie pourtant d'agir comme il se doit. Je me donne entièrement à la méditation. Où me suis-je trompée? Quelle leçon dois-je tirer de tout cela?»

La réponse vint, aimable mais ferme.

---

1. Québécisme pour «sumac vénéneux». (N.d.t.)

«Vous, les humains... Vous avez une notion si grandiose de votre place dans l'univers. Il y a une leçon ici, en effet. Mais pas pour toi. Pour l'herbe à puces.»

Nous aurons beau tout faire pour atteindre nos objectifs, il y a un petit hic que les adeptes de la pensée positive refusent de prendre en considération: le destin. Quel que soit le nom que vous lui donniez — destinée, hasard, leçon de vie, karma —, le destin risque fort d'arracher de temps à autre votre vie à votre contrôle. Les Amérindiens, les Africains et les Aborigènes d'Australie l'ont toujours su. Leurs mythologies font place à des dieux «malfaisants» qui recourent à de mauvaises plaisanteries pour éveiller la conscience des humains et les guider sur la voie de la connaissance.

Or, si vous ne pouvez pas obtenir tout ce que vous désirez, si vous ne pouvez pas toujours agir dans votre propre intérêt, que faire? Se rendre ne signifie nullement permettre aux forces invisibles d'avoir le dessus. Reddition n'est pas synonyme de capitulation. Se rendre signifie tout simplement: faire ce que l'on doit faire.

Denise trouva la réponse qu'elle cherchait pendant sa guérison. Elle avait court-circuité son édification, si bien qu'elle se surprit un jour en train de simplement vivre sa vie. Manifestement, elle avait déjà commencé à se distancer de son entreprise de traiteur et entrouvert la porte à ses projets d'écriture. Sa décision était prise depuis un certain temps. Une chanson populaire qui lui trottait dans la tête formulait clairement ce moment de transition. Elle le perçut aussi dans la somme d'heures qu'elle passait devant l'écran de son ordinateur ainsi que dans ses rêveries passées et ses ambitions refoulées. Lorsqu'elle se mit enfin à concevoir des livres de recettes, ce fut le plus naturellement du monde. Il lui avait suffi de relâcher son emprise sur la «réalité» quotidienne pour que sa vie s'organise autour de la personne qu'elle était devenue.

Pourquoi n'avait-elle pas été consciente plus tôt de la décision qu'elle avait prise? Parce qu'elle en connaissait le risque inhérent. Elle s'était toujours crue disposée à assumer ce danger — dès l'instant où elle aurait la certitude de ne pas se tromper. L'ennui est que, si vous savez d'avance que votre décision est la bonne, vous ne courez aucun risque. Si vous trouvez en vous assez de courage pour écouter votre cœur, celui-ci vous imposera une tyrannie encore plus implacable que toutes les puissances extérieures qui, jusqu'alors, vous avaient dominé.

Vous avez raison d'hésiter sur le seuil et de réfléchir à la gravité de votre engagement à vivre pleinement.

Posez-vous la question suivante: si je plonge et que le résultat est désastreux, suis-je disposé à faire face aux circonstances et aux émotions qui en découleront? (Il serait bon aussi que vous vous interrogiez sur les meilleurs résultats possible. À la lumière de mon expérience, je sais qu'ils se situeront à peu près à mi-chemin entre le pire et le meilleur. La plupart des gens n'obtiennent pas tout ce qu'ils désirent. Mais il est aussi rare qu'ils n'obtiennent rien.)

Si le pire se produisait, pourriez-vous vous en accommoder? Le jeu en vaut-il la chandelle? Dans la négative, considérez une approche moins radicale qui ramènera le risque que vous courez à un seuil plus réaliste. Il existe un moyen facile de savoir si vous avez pris la bonne décision: si votre objectif est trop grand, il vous écrasera. Si votre objectif est trop petit, vous mourrez d'ennui. Fixez-vous un but à mi-chemin de ces deux extrêmes, et vous suivrez ce que les philosophes orientaux appellent «la voie du milieu». Une fois ces frontières établies, donnez-vous entièrement à vos projets et sachez que l'adverbe «entièrement» englobe le respect de vos besoins physiques, émotionnels et spirituels. Vous devez respecter et vos limites humaines et l'univers malfaisant qui a toujours plus d'un tour dans son sac. La clé du succès auquel vous aspirez consiste à identifier les défis qui sont dignes de vous et à savoir quel prix vous êtes disposé à payer pour les relever.

Larry, un copain de New York, a lui aussi décidé de faire le grand plongeon. Toute sa vie durant, il avait rêvé de vivre de sa peinture. Entre-temps, il payait ses factures en faisant de la comptabilité. Pendant vingt-cinq ans, il a ainsi mené deux vies de front. Le jour, vêtu d'un complet, il œuvrait dans le monde des affaires. Le soir, il enfilait un vieux jean, prenait ses pinceaux et ses couleurs et peignait ses mondes intérieur et extérieur.

«Ne serait-ce pas merveilleux de pouvoir peindre du matin au soir?» songeait-il. Stimulé par cette perspective, il hypothéqua sa maison. Il simplifierait sa vie, ouvrirait un atelier-galerie où il lui serait loisible de peindre à plein temps et de vendre ses toiles. Dans son enthousiasme, il démissionna de son poste, dénicha dans un quartier en pleine expansion un entrepôt qu'il rénova, et s'apprêta à transformer sa passion en gagne-pain. Il s'était accordé un délai d'un an pour que la roue tourne. Puisqu'il réalisait son rêve, les revenus suivraient. Il en était sûr.

Lorsque son atelier fut prêt, Larry s'installa devant son chevalet, pinceau en main, et... figea. L'inspiration ne vint pas. Après vingt-cinq ans de création ininterrompue, il souffrait du syndrome de la toile blanche! Il arpentait son atelier, du chevalet à la cafetière et de la cafetière au lit, se demandant pourquoi la source s'était tarie. Les jours devinrent des semaines, les semaines des mois. Larry réfléchit à la place qu'occupait la peinture dans sa vie et à ce que signifait «faire ce que l'on aime».

Il comprit qu'avant d'en faire son gagne-pain, les moments qu'il passait à peindre lui procuraient un grand sentiment de liberté. La toile était en quelque sorte son journal intime, le lieu où parvenait à s'exprimer spontanément la créativité qui donnait un sens à sa vie. Que l'on apprécie ou non ses œuvres ne lui importait guère. Dans son cœur, il ne voulait pas le savoir, et que les amateurs d'art soient disposés ou non à acheter ses toiles le laissait indifférent.

Quand il comprit qu'il devait maintenant commercialiser son art afin de pouvoir en vivre, il s'aperçut que la grande majorité des artistes professionnels acceptaient des compromis qui lui répugnaient. Cette révélation lui vint le jour où il ouvrit pour la première fois les portes de son atelier et que les clients n'y accoururent pas en foule. Pour réussir, il était hors de question qu'il passe ses journées à peindre. Il devrait consacrer beaucoup de temps et d'énergie à vendre sa peinture, à attirer des clients et à discuter avec eux des couleurs de leur appartement. Que fit-il?

Après mûre réflexion, il décida de ne pas transformer son art en produit de consommation. Mais puisqu'il avait investi dans une galerie, pourquoi ne pas mettre ses dons de gestionnaire à contribution et vendre les œuvres d'autres peintres? Il pénétra ainsi dans l'univers des arts visuels — qu'il avait toujours préféré au monde des affaires — avec bien plus de facilité qu'en travaillant comme comptable dans une grande entreprise. S'il ne pouvait faire partie des 100 000 artistes dont les œuvres séduisaient une clientèle suffisante pour leur permettre de vivre, il pouvait accepter ses limites tout en travaillant en jeans. Entre-temps, son inspiration était revenue. Il se remit à peindre... après les heures de travail.

Des années plus tard, je croisai Larry par hasard. Il rayonnait. Peu de temps après avoir officiellement ouvert sa galerie, il y avait accroché quelques-unes de ses toiles. Deux ans s'étaient écoulés. Et voilà qu'il venait tout juste de vendre sa première toile à un inconnu, pour 75 $. Larry était un homme heureux.

Soyez à l'affût de cette part de vous qui s'efforce de prévoir la moindre conséquence néfaste. Bien sûr, vous aimeriez vous affirmer et obtenir tout ce que vous souhaitez. Mais la vie vous échappera de temps à autre. Aurez-vous le courage de réaliser vos rêves tout en vous montrant disposé à en assumer les conséquences? Ce sera plus facile si vous admettez que vous êtes humain et que, si vous acceptez de ne pas pouvoir empêcher la vie de vous envoyer parfois de mauvaises surprises, vous ne pouvez pas davantage l'empêcher de vous offrir quelques cadeaux. Lorsque vous cessez de vous croire capable de dominer les circonstances, non seulement vous avouez-vous incapable de prévenir les problèmes, mais vous avouez aussi être incapable d'empêcher les solutions de se manifester.

Si vous acceptez de faire le pas qui vous mènera à l'étape suivante, vous ne vous trouverez jamais dans une impasse. Ce qui ressemble à un échec, par exemple le syndrome de la toile blanche dont souffrait Larry, n'est souvent qu'un tremplin vers quelque chose de plus enrichissant que ce que vous aviez anticipé. Vous n'êtes pas en mesure d'apprécier votre destin. Tant que vous vivez, vous êtes au beau milieu d'une histoire dont vous ignorez la fin. Il se pourrait bien que le scénario qui favorisera le plus votre évolution spirituelle ne soit pas celui que préfère votre moi. Réaffirmez votre volonté d'affronter les événements au fur et à mesure, confiant que la méthode qui vous a permis d'en arriver au point où vous en êtes vous guidera de l'autre côté, peut-être même au cours de l'heure qui suit, la dernière avant le coucher du soleil.

Une autre chose doit encore être prise en considération. Si vous déteniez déjà sans le savoir la solution cherchée? Votre vision sélective, votre impatience, votre tendance à fantasmer vous ont peut-être caché la vérité. Lorsque vous parvenez à ce point précis où la métamorphose devient possible, l'occasion vous est une fois de plus donnée de découvrir si vous croyez fermement au soutien de la providence. Il ne s'agit donc pas de créer votre réalité, mais bien de faire un saut dans l'inconnu, dans un domaine qui échappe à votre contrôle. C'est beaucoup demander, je sais. Mais, d'autre part, quel prix accordez-vous à vos rêves?

16
Un problème digne de vous

Au début du chapitre précédent, je disais qu'au moins deux d'entre vous déposeraient volontiers à mes pieds leur plus grand dilemme, un problème que rien ne saurait résoudre avant le coucher du soleil. Je me suis ensuite adressée à la première de ces deux personnes, celle dont le problème n'était pas tant dû à une absence de ressources, à la malchance ou à un manque d'occasions favorables, mais bien à une foi déficiente. J'ai confiance en vous et j'espère que vous recevrez la réponse attendue avant le coucher du soleil.

Le second de vous deux qui m'a mise au défi de l'aider à trouver une solution à son pire dilemme saura se reconnaître. Celui-là connaît bien la matière de ce livre. Pourtant, il n'a toujours pas résolu son problème.

Vous puisez à tout l'éventail des possibilités humaines; vous ne cédez pas aux distractions qui vous emprisonneraient dans des émotions agréables: le bonheur, le contentement, la joie. Vos aspirations sont si élevées qu'elles vous brisent le cœur. Vous êtes sensible à la souffrance d'autrui, le gaspillage des facultés humaines vous désole, l'avidité, l'ignorance, la cruauté des êtres vous désespèrent. Vous avez suivi vos émotions et votre élévation d'esprit jusqu'au domaine fertile de l'empathie et de la compassion. Vous avez aimé profondément, espéré sans espoir et souffert de toutes vos fibres. Vous espérez trouver une réponse, mais votre intuition vous dit que vous n'êtes pas seul concerné par ce dilemme. Il est celui de vos contemporains, il perdure, depuis la nuit des temps. Je comprends pourquoi vous cherchez un remède à votre mal de vivre, mais je ne puis vous promettre de guérison. La société a besoin de personnes comme vous, qui s'engagent dans quelque chose de plus vaste que leur petite personne et qui en acceptent les conséquences.

Mais vous aussi pouvez trouver une solution. Elle vous sera révélée sans effort, spontanément, quand votre esprit embrassera l'univers entier. Résistez à la tentation de précipiter les choses. Vous n'obtiendriez que des réponses superficielles. Votre courage vous aidera à comprendre.

Peu de temps après que Dan et moi ayons décidé de réduire nos heures de travail et d'envisager la réussite professionnelle sous un autre angle, plusieurs de nos clients — et de nos employés — ont quitté ce qu'ils croyaient être un navire en perdition. Ils ne parvenaient pas à comprendre qu'en tenant compte de nos besoins et de nos aspirations, et en restructurant notre entreprise en fonction de cette nouvelle orientation, nous accomplissions un geste héroïque dont tous bénéficieraient tôt ou tard.

Récemment, en cherchant le sac de couchage de ma fille, j'ai trouvé le journal intime que je tenais à cette époque. Au milieu du récit de mes sautes d'humeur, des soins prodigués à mon bébé et de l'inondation de la cave, j'ai pu lire, en germe, les principes qui continuent de porter fruit dans ma vie. Cela me rappelle que les pousses nouvelles s'enracinent souvent dans la boue. Juste après mon trente-septième anniversaire, au moment où tout mon univers professionnel semblait s'être écroulé, j'avais rédigé ce qui suit:

> Des fantômes — les spectres de ce que j'ai été, le personnel et les clients qui m'entouraient naguère — hantent notre bureau à moitié vide. Cinq personnes bossent dans un espace qui pourrait en contenir trente. Quelque chose s'écroule et meurt. Je ne trouve de réconfort ailleurs qu'entre les bras de Dan et dans l'amour de Jody et de Grant. Dans mon amour pour eux, aussi, plus grand que je n'aurais jamais cru possible. Et dans le soutien des quelques employés qui me sont demeurés fidèles. Un kaléïdoscope de souffrances, de transformations... dans quel but? J'ai envie de faire des listes, d'aligner des chiffres, de taper sur une calculatrice et de structurer la réalité de façon fonctionnelle. Plus tard. Beaucoup plus tard. Aujourd'hui, il me faut lâcher prise. Simplifier ma vie. Méditer, écrire. Aimer et être aimée. Je peux rendre service à ma clientèle; j'en ai l'aptitude. J'espère accomplir un travail utile. De cela, je suis certaine. Mais devrais-je engager du personnel? Devrions-nous développer notre entre-

prise? Absolument NON! Ça suffit! J'en ai assez de la ligne droite. Assez de ce besoin incessant de savoir comment agir.
Quel changement... prendre mes responsabilités sans connaître la réponse. Lâcher prise et me regarder évoluer. Me rendre. Je pourrais commencer par obéir aux admonestations de mon cœur. Dois-je chasser le client que nous n'avons pas encore perdu mais dont les attentes sont irréalistes, même si nous avons besoin de ce revenu? Est-ce irresponsable? Je cherche toujours à forcer la réponse au lieu de m'adapter aux circonstances. Et les circonstances, en ce moment, sont belles: tristes, mais enrichissantes. Je lutte pour me libérer et j'en souffre... j'ai peur que chaque instant qui passe entraîne ma vie dans son sillage. Où cela finira-t-il? Au moins, je sais que je serai encore en vie quand j'atteindrai le bout de la route.

Certains des employés qui nous avaient quittés tenaient sur nous des propos malveillants. J'aimerais pouvoir dire que leur nouveau travail ne les a pas rendus heureux et qu'ils ont fini par comprendre et admettre la supériorité de notre démarche. Mais la vérité est tout autre. Certains d'entre eux ont fondé une agence concurrente, emmenant avec eux une part de notre clientèle. Aux dernières nouvelles, ils gèrent leur entreprise de façon traditionnelle, ils sont prospères et ils n'éprouvent aucun repentir. C'est terrible lorsque le malheur s'abat sur les «bons», mais c'est encore bien pis quand la chance comble les «méchants». Comment un univers équilibré et bienveillant peut-il permettre une pareille injustice? Le jour du jugement dont parlent nos religions occidentales, la promesse de l'enfer pour les méchants, tout cela nous réconforte. Selon le dogme hindouiste du karma, nous sommes récompensés ou punis dans une vie future pour nos actions passées. Selon Confucius, l'«être inférieur» ressemble à une plante des marécages qui pousse et s'épanouit un jour pour mourir le lendemain, tandis que la bonté, comme le gland du chêne, s'enracine lentement, sûrement et si profondément qu'elle dure éternellement. Mais mon explication préférée est celle que m'a donnée mon sensei de karaté.

Un samouraï rendit visite à un maître spirituel.

«Montre-moi la porte du paradis et la porte de l'enfer, exigea-t-il.

«Pauvre idiot de samouraï. Je ne peux pas montrer ces portes à quelqu'un d'aussi stupide que toi.»

À ces mots, le samouraï tira son sabre et en menaça le sage.

«Ça, c'est la porte de l'enfer», dit le sensei avec patience.

Ayant reçu cette première révélation, le samouraï rengaina son sabre.

«Et ça, dit le maître, c'est la porte du paradis.»

*

Malgré les défections, notre agence, le Orsborn Group Public Relations, est parvenue à réaliser le même chiffre d'affaires qu'auparavant, soit près d'un demi-million de dollars, grâce aux quelques collaborateurs fidèles qui ont accompli des tâches naguère confiées à près de vingt personnes. Quand nous avons rassemblé le courage voulu pour résilier le contrat de l'hôtelier qui, en pleine guerre du Golfe, avait des exigences irréalistes, nous avons retrouvé notre dynamisme. Lorsque nous avons perdu le contrat du centre commercial Embarcadero, nous n'avons pas perdu de temps à nous apitoyer sur notre sort et à nous auto-flageller. Notre dynamisme retrouvé nous a permis de concentrer notre énergie sur l'avenir plutôt que de pleurer sur les pots cassés.

Nous étions débarrassés des clients trop exigeants et des employés peu productifs. Ceux qui restaient composaient un groupe énergique. Nous découvrions les joies et les bienfaits du travail d'équipe. Nous ne perdions pas de temps en lamentations et en médisances, en réunions stériles destinées à masquer la peur d'agir et de prendre des risques. Nous étions imaginatifs, pleins de vitalité, d'enthousiasme, de fébrilité. En réduisant considérablement nos frais généraux, nous accroissions nos profits à un rythme vertigineux. Notre semaine de travail était limitée à quarante heures ou moins. Nous avions des loisirs, nous avions le temps de nous consacrer à nos relations personnelles, de respecter nos engagements, d'aider les autres et d'enrichir notre vie.

Notre réussite était la conséquence de notre évolution et de l'évolution de nos relations. Le jeu, pourtant pénible, en avait valu la chandelle.

Même dans les moments de gageure comme celui que je viens de relater, j'ai pu trouver en moi une réponse que je n'aurais jamais cru possible. Cette réponse — que vous portez aussi en vous, quelles que soient les circonstances que vous affrontiez en ce moment — consiste en une acceptation aigre-douce, en une sagesse quelque peu mélancolique dans laquelle la vie trouve tout son sens. Mon expérience de la spiritualité ressemble à un vague désir de plénitude, une sorte de flottement qui m'est devenu plus précieux que ce que j'appelais autrefois le «bonheur». Car lorsque je voulais à tout prix être heureuse, je consacrais beaucoup d'énergie à lutter contre l'inconfort et les contrariétés. J'avais peu d'amis, car l'amitié est parfois douloureuse. Je travaillais d'arrache-pied pour obtenir ce qui devait contribuer à mon bien-être: une maison plus grande, un client plus important, une belle voiture. Mais puisque mon bonheur dépendait de ces biens matériels, j'étais l'esclave des circonstances extérieures. Ce qui me venait du dehors pouvait aussi m'être retiré. Je vivais dans une angoisse perpétuelle.

Quand mon amour de la vie et ma confiance en l'avenir ont surpassé ma peur de la souffrance, j'ai pu trouver en moi une réponse digne de confiance, qui m'a aidée à affronter toutes les situations. J'avais fait une découverte extraordinaire: les circonstances extérieures de notre vie ne peuvent nous procurer la plénitude à laquelle nous aspirons. La plénitude doit précéder le reste. Inutile de forcer la réponse. Inutile de feindre.

Vous avez peiné pendant des années à chercher une réponse authentique, car vous êtes déjà trop sage et trop honnête pour repousser d'un revers tout ce que d'autres ignorent, expliquent ou évitent. Vous vous êtes sans doute demandé s'il n'existe pas quelque part une meilleure solution, quelque chose que vous pourriez faire, posséder ou devenir et qui vous facilite la vie, celle de vos proches et celle de l'humanité tout entière. Quand vous aurez parcouru ce chapitre, vous saurez qu'il vous est possible de faire plus. Si vous en faites déjà suffisamment, la solution consiste à continuer d'être vous-même parmi tous ceux qui partagent vos aspirations.

Nous qui souffrons sommes les messagers de la vérité. Nous sommes les héritiers d'Auschwitz, de la bombre atomique, de la mort de Martin Luther King et de John Fitzgerald Kennedy, du Viêt-nam et de la tragédie de l'Oklahoma. Nous affrontons une crise politique, écologique, sociale et spirituelle mondiale. Dans un monde aussi désaxé, les plus affectés et les plus troublés d'entre nous sont sans doute les plus vivants. Nous avons appris au fil des ans que l'argent et la réussite matérielle nous donnent une illusion de plénitude sans pour autant empêcher notre mal de vivre. Récemment, nous avons appris une leçon encore plus difficile: nos tentatives pour conclure un marché spirituel avec Dieu afin d'obtenir la réalisation de nos désirs restent sans effet.

La spiritualité peut nous apporter un réconfort, nous permettre d'accéder à la connaissance et à la sagesse, nous doter d'une morale intuitive, nous faire croire à la bonté humaine et à l'équilibre universel. Mais nous devons aussi accepter le fait que nous vivons au sein d'une nature capricieuse et cruelle. La souffrance et la douleur existent. La méchanceté aussi. Ne voir dans notre évolution spirituelle qu'une forme de sécurité et une source de pouvoir, utiliser la foi comme un bouclier contre la souffrance et le doute qu'exige notre volonté de vivre, tout cela est un exercice dangereux.

Que signifie ce mot, «dangereux»? En tant que Juive venue au monde en même temps que l'État d'Israël, ayant perdu dans l'Holocauste des parents que je n'ai jamais pu connaître, je sais, à chaque instant de chaque jour, combien il importe que nous préservions la conscience non seulement de nos vertus et de notre piété, mais aussi de nos côtés sombres. Car, après tout, les architectes qui ont dessiné les plans des douches des camps de la mort, les comptables qui ont payé le cyanure, ces gens étaient bien intentionnés, c'étaient des personnes comme vous et moi, ils voulaient être heureux en dépit des circonstances, ils fréquentaient l'église, aidaient leurs enfants à faire leurs devoirs et assistaient à leurs activités sportives.

Nous sommes tous aptes à ignorer, à justifier ou à étouffer nos élans de cruauté au profit de notre routine. Ironiquement, lorsque vous refusez de regarder en face votre propre douloureuse vérité ou celle du reste de l'humanité, vous confiez votre inconfort moral à ceux qui ne peuvent que vous offrir des consolations et des réponses superficielles. Il est tout aussi dangereux de vous reposer sur la rationalité de l'hémisphère gauche en refusant d'explorer vos intuitions, votre créativité et votre spiritualité. Vous permettez alors par défaut à vos élans inconscients de vous dominer. Ceux d'entre vous qui voient dans la spiritualité un moyen d'atténuer leur malaise doivent comprendre que la vraie foi croît sur un champ de bataille. Vous devrez combattre votre arrogance afin de découvrir l'humilité; vous devrez combattre vos caprices afin d'identifier vos véritables aspirations; vous devrez lutter contre votre tendance à la rationalité et à la fuite afin d'accepter qu'une puissance divine mystérieuse nous envoie des catastrophes; vous devrez combattre votre bien-être illusoire et votre faux pouvoir afin de faire l'expérience de la douleur — la vôtre et celle de votre prochain.

Dans ces tranchées, vous débattant comme Job au torrent de Yabboq, vous êtes appelé à combattre à la fois Dieu et votre propre humanité. Il vous faut admettre que nous en sommes encore aux balbutiements, que l'héritage de notre génération nous force à prendre conscience de ce qui est exigé de nous pour que nous puissions aller de plus en plus profondément en nous-même.

Ceux qui se sentent appelés à servir leurs frères en ces temps difficiles doivent tout accepter. Ainsi que l'écrivait le rabbin Irving Greenberg dans *Cloud of Smoke, Pillar of Fire:*

> Après Auschwitz, avoir la foi signifie aussi la perdre par moments. [...] Maintenant, la foi se compose plutôt de «moments de foi» [...] qu'effacent parfois les flammes et la fumée des brasiers qui consument des enfants; mais elle renaît. [...] Ce qui distingue le croyant du sceptique est la fréquence de cette foi, non sa constance.

Eu égard à cet état de choses, confronté à de telles probabilités, n'y a-t-il rien que vous puissiez faire pour contribuer à résoudre les dilemmes non seulement de notre génération, mais aussi des générations à venir?

Nous aspirons à la paix intérieure, mais le moment est sans doute venu pour nous d'admettre la pénible vérité voulant que notre maturité spirituelle s'accompagne parfois, souvent malgré nous, d'une juste colère que tempère néanmoins la compassion. Poussés par la ferveur de notre âme, nous devons nous affirmer. Mon écrivain préféré, Pearl Buck, s'adresse directement à nous dans *Voice in the House:*

> Contre la tyrannie de l'homme inférieur, l'homme supérieur a aussi le droit d'être libre. [...] L'espoir de l'humanité réside dans l'aptitude des bons à souffrir et à combattre les agissements des méchants.

Vous devez être fier de vous engager dans la lutte, peu importe son résultat. Vous devez accepter de ne pouvoir sauver le genre humain tout seul, sans pour autant cesser de faire preuve de sens commun et de décence, chaque fois que vous en avez l'occasion.

Comme me le rappelle ma bonne amie Donna Paz quand je lui fais part de ma frustration devant mon inaptitude à transformer l'humanité, il est toujours possible de faire «de petites choses». Votre contribution professionnelle n'est sans doute pas à la hauteur de vos aspirations, mais vous pouvez néanmoins trouver un travail qui favorise un plus grand engagement dans d'autres domaines. Qui sait si vous ne trouverez pas une cause digne de vous, qui occupera toute votre vie et même davantage? Quoi qu'il arrive, sachez vous accepter tel que vous êtes et accepter le monde dans lequel nous vivons en sachant que votre meilleure arme consiste à être vous-même au maximum et en tout temps. Cela signifie accepter les joies et les désespoirs, les moments de génie et les échecs, la clarté de pensée et la confusion. C'est dans cet abandon, dans cette aptitude et cette volonté de tout embrasser, que vous trouverez la réponse que vous cherchez.

Comment notre spiritualité peut-elle parvenir à tout embrasser?

Joseph Campbell nous fait la suggestion suivante: «Quand le monde semble sur le point de s'écrouler, maintenez votre cap; accrochez-vous à vos rêves et recherchez la compagnie de ceux qui pensent comme vous. C'est le secret de la vie.»

Commencez par vivre pleinement votre vie en tout temps. Si votre existence est un désastre, engagez-vous à fond dans ce désastre. Si l'horreur que vous inspire votre personne vous hypnotise, brisez ce cercle vicieux en reportant votre attention sur autre chose, en vous intéressant à quelqu'un d'autre.

Dans mon journal intime retrouvé par hasard, je suis tombée sur ce poème que j'avais intitulé «Mon moi ordinaire me suffit».

Mon moi ordinaire me suffit.
Les émotions ordinaires que j'exprime se répercutent sur autrui.
Quand je me sens inapte, j'ai le droit d'appeler au secours.
Quand j'ai peur, j'ai le droit d'être vulnérable.
Quand je commets une erreur, je la répare et poursuis mon chemin.
Je puis faire ce que j'ai à faire dans la détente, sans subir de pressions.
Quand je suis moi, je m'intéresse aux autres,
non à moi.

Je puis écouter.
Je puis aimer.
Mon moi me suffit. Peu importe les occasions saisies, les occasions ratées.
Mon moi ordinaire me suffit.

Le 30 septembre 1987, après une douloureuse vague d'apitoiement sur moi, j'ai connu un moment rare et précieux de rapprochement avec mon moi ordinaire.

> Hier, au réveil, j'ai eu l'impression de n'être rien. Mon écriture n'était rien. Mon désir de transformer le monde n'était rien. Ma sagesse n'était rien. Puisque je n'étais rien, je me suis contentée de regarder passivement ma vie se faire ballotter par les catastrophes qui, d'habitude, ont raison de moi. N'étant rien, j'étais aussi nulle part, et je n'ai résisté à rien. Quand la voiture s'est mise à fumer, Dan et moi sommes passés au neutre et nous avons dérivé vers une station-service. Renonçant à notre projet d'aller dîner à San Francisco, nous avons exploré le quartier en attendant que les réparations de la voiture soient terminées. Nous avons ainsi découvert la meilleure pizzeria de Marin.
> Ce matin, je me suis réveillée remplie d'amour, sans raison particulière. Je revois certains moments: Dan qui franchit la ligne d'arrivée de la course de Dipsea, la sueur inondant ses cheveux poivre et sel. Grant jouant sa première vraie pièce au piano devant grand-maman et grand-papa. Maman et moi nous tenant par la main. Jody blottie sur mes genoux. Je me méfiais pourtant de ce bonheur et, tout en en remerciant Dieu, j'appréhendais de me laisser happer à nouveau par la notion voulant qu'un bonheur se paie toujours, notion qui m'a sans cesse nui. Puis, je me suis remémoré les paroles d'une amie.
> Elle avait dit: «Quand survient un événement heureux, dis-toi que l'univers est en train de te dire que tu es une personne formidable. Quand survient un événement malheureux, dis-toi que ce n'est qu'un accident, que cela n'a rien à voir avec toi ou avec ce que tu fais.»
> Ainsi, j'ai enfin découvert le secret de la vie: quand l'amour emplit mon cœur, tout va pour le mieux. Lorsque tout va mal, pourquoi m'en préoccuper, puisque je suis comblée d'amour?

L'écrivain juif A. J. Heschel raconte cette anecdote à propos d'un maître hassidique. Un jour, celui-ci s'assit et se plongea dans le Talmud. Le lendemain, ses étudiants constatèrent qu'il en était toujours à la première page. Croyant qu'il réfléchissait à un passage difficile, il n'en firent pas de cas. Mais au bout de quelques jours, voyant que le rabbin n'avait pas encore tourné la page, ils lui demandèrent pourquoi il n'avait pas poussé plus loin sa lecture.

«Je suis si bien ici, fit le rabbin. Pourquoi irais-je ailleurs?»

Lorsqu'un empereur de Chine demanda au maître zen Bidhidharma ce qu'était l'illumination, celui-ci répondit: «Un grand espace, rien de sacré.»

Votre moi ordinaire est bien suffisant. La réponse que vous cherchez vous sera révélée quand vous abandonnerez vos illusions, en particulier celle qui vous rassure sur la grandeur de votre spiritualité, sur l'importance de votre contribution. Débarrassez-vous de cela aussi.

Débarrassez-vous des réactions de votre hémisphère gauche, qui cherche à provoquer les événements, qui essaie, qui travaille, qui analyse, qui se tue à la tâche, qui préserve, qui protège, qui contrôle. Vous y parviendrez en vous détendant. Donnez la chance à votre hémisphère droit de se manifester, de se frayer un chemin à travers le béton armé de vos pensées et de vos actes. Quand vous aurez trouvé cet équilibre, vous serez devenu parfaitement ordinaire. Vous n'essaierez plus de vous creuser une niche dans l'ordre secret de l'univers. Vous l'occuperez déjà.

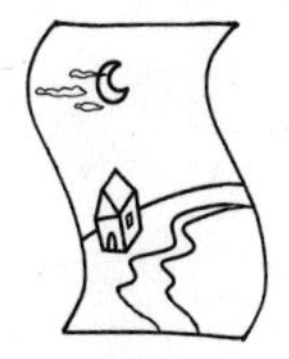

septième heure
jusqu'au coucher du soleil

Le moment de la récolte

17
Le rituel de l'achèvement

Un jour, avec le recul, ces années de combat seront pour vous les plus belles.

Sigmund Freud

TOUT AU LONG de cette journée, vous vous êtes donné l'occasion de résoudre votre dilemme, d'explorer de nouvelles façons de l'aborder, et de lui trouver des solutions. Il est à espérer que les enseignements de ces heures vous auront enrichi.

Les bienfaits que vous en avez retiré vous aideront dans vos décisions, non seulement aujourd'hui, mais toute votre vie durant. Cela est très important, car votre vie est constituée de tous les choix que vous avez faits: les personnes qui partagent votre existence et la qualité de vos relations; votre travail; vos engagements; votre santé; vos contraintes spirituelles, morales et émotionnelles. La valeur de vos décisions dépend de la valeur de l'information que vous détenez. Notre exploration du fonctionnement de l'hémisphère gauche vous a ouvert tout un éventail de possibilités et vous a procuré des outils inestimables auxquels vous aurez recours pour résoudre les dilemmes dont votre hémisphère gauche n'est jamais venu à bout.

Quoi que vous pensiez du problème que vous aviez l'intention de résoudre ce matin, sachez que votre apprentissage de ce jour n'aurait pu se produire sans lui.

Le moment est venu de vous arrêter et de réfléchir aux progrès que vous avez accomplis et à votre perception du problème qui vous a occupé tout le jour. Vous voici parvenu au seuil d'un exercice en quatre volets qui se situe au cœur de cette dernière heure: celle de l'achèvement.

Démarche:
L'achèvement

Relisez d'abord le texte que vous avez écrit lors du premier exercice de la journée: «L'identification de votre objectif.» N'avez-vous pas l'impression que des mois se sont écoulés depuis cette rédaction? Que pensez-vous de la personne qui a couché ces mots sur le papier? Croyez-vous détenir enfin quelques-unes des réponses que vous cherchiez alors? Avez-vous accompli ce que vous vous proposiez de faire, en tout ou en partie? Que savez-vous maintenant que vous ignoriez alors? Réfléchissez aux bienfaits que vous a procurés cette journée et aux questions demeurées sans réponse. Quand vous en aurez terminé, repassez mentalement toutes vos activités de la journée. Relisez vos textes, remémorez-vous vos expériences. Rappelez-vous comment vous envisagiez votre problème, vous-même et cette méthode ce matin, et ce qu'ils représentent pour vous maintenant. Quand vous aurez terminé, nous passerons ensemble à la prochaine étape.

*

Je vous disais plus tôt comment, lorsque l'on vit pleinement, on peut mieux apprécier tous les instants de la vie: le désespoir et la joie, l'échec et la réussite, la volonté et la soumission, la mort et la renaissance. Au moment de vous pencher sur votre passé, vous pourriez être tenté de porter un jugement sur le chemin parcouru, les décisions que vous avez prises, votre rapport passé et présent au problème du moment. Grandir signifie à la fois créer et détruire. Notre aptitude à grandir et à embrasser tout le cycle de l'existence est un cadeau de la nature. Munissez-vous une dernière fois d'un stylo et d'une feuille de papier, et adressez une lettre au dilemme qui vous a accompagné jusqu'ici. Je veux que vous rendiez compte du rôle qu'il a joué dans votre vie, de la douleur qu'il vous a occasionnée, des bienfaits qu'il vous a procurés et de son influence sur votre développement spirituel. Par-dessus tout, sachez lui pardonner. À cause de lui, vous vous êtes sans doute égaré dans les jugements de valeur, la peur et la confusion, mais l'ordre invisible de l'univers vous a tout de même accompagné partout. Il ne vous a jamais abandonné. Comment auriez-vous pu fuir sa présence? Il est près de vous depuis ce matin et il vous accompagnera jusqu'à ce que vous trouviez la réponse que vous cherchez.

Vous avez fait un très long voyage. Vous avez parfois cru ne jamais toucher au but, mais vous y êtes parvenu. Vos expériences vous ont beaucoup appris. Vous avez découvert le courage qui vous animait et vos inépuisables ressources. Vous avez découvert votre aptitude à tirer des leçons de vos expériences et à aller de l'avant. Vous avez constaté votre aptitude à aimer et à vous fixer des limites. Vous avez appris à prendre des risques et à vous protéger du danger. Vous avez appris à tomber, puis à vous relever. Vous savez maintenant quand agir, et quand accepter passivement ce que la vie vous donne. Vous avez compris ce qu'est la compassion. Vous n'auriez pu récolter autrement un aussi important bagage. Rien ne s'est perdu. Vous avez saisi toutes les occasions. Vous voilà parvenu exactement où vous devez être en ce moment précis.

Il est vrai que parfois vous devez cheminer seul. Mais voyez comme les réponses vont et viennent, comment elles font un bout de chemin à vos côtés, puis s'éloignent et croisent à nouveau votre route. Désirez-vous trouver un moyen d'expression satisfaisant, une façon d'apporter votre contribution à l'humanité par votre travail et votre vie? Les occasions abondent. Parfois, la route vous semblera claire; parfois, le chemin s'enfoncera dans une forêt obscure et noyée de brouillard. Mais vous avez déjà affronté de tels écueils. Vous parviendrez de l'autre côté. N'êtes-vous pas heureux quand vous émergez dans la lumière? Chaque fois que la brume se lève, vous comprenez que, même en plein cœur du brouillard, vous avez su grandir.

Pardonnez au problème qui vous harcèle. Pardonnez-lui maintenant. Mettez tout ce que vous ressentez, toutes vos aspirations, tous vos rêves dans ce pardon. Quand vous aurez terminé votre lettre, nous passerons à l'étape suivante.

*

Albert Einstein écrivit un jour que *«il n'y a que deux façons de vivre. En croyant que rien n'est miraculeux ou en croyant que tout est un miracle.»*

Votre participation active aux procédés décrits dans ce livre prend fin avec cette étape-ci. Le processus n'est pas encore terminé, mais vous vous y engagez ici pour la dernière fois. Vous en sortirez tout à fait comblé, ou tout à fait vidé.

Vous serez bientôt placé devant une alternative. Quelle que soit votre option, ce sera celle qui vous convient. Il n'y a pas de bon ou de mauvais choix. Vous devez uniquement écouter votre sagesse intérieure et agir. Quel que soit le rituel pour lequel vous opterez, il mettra un terme à votre tâche d'aujourd'hui: la création d'un contexte favorable à votre harmonisation avec l'ordre secret de l'univers.

Voici votre première option: vous pouvez confier votre lettre et votre problème à l'ordre invisible de l'univers. Faites-le de la façon qui vous semble la plus appropriée à votre cas. Vous pouvez y mettre le feu, la jeter dans l'océan, l'enfoncer dans la crevasse d'un tronc d'arbre... laissez-vous guider par votre inspiration. Continuez tant que votre cœur ne vous aura pas dit que vous en avez terminé. Ensuite, passez au prochain chapitre.

Votre autre option est la suivante: conservez la lettre dans un endroit spécial qui puisse vous rappeler le chemin parcouru et le chemin à parcourir. Par exemple, enroulez-la comme un diplôme, ou encadrez-la et mettez-la en évidence de façon qu'elle puisse vous remémorer les événements d'aujourd'hui. Quand vous aurez terminé, passez à la prochaine et dernière étape.

18
Saint

DANS LA BIBLE, le prophète Ézéchiel[1] fait allusion aux séraphins, ces êtres surnaturels dont le rôle, dans la hiérarchie céleste, consiste à rendre gloire à l'Éternel. «Saint, saint, saint», répètent-ils à la louange de Dieu. Selon la tradition biblique, le mot hébreu *seraphim* est apparenté à celui dont le sens est «flamme»[2]. En effet, le rapport des séraphins au divin est si intense que la ferveur de leur dévotion les consume avant même qu'ils n'aient proféré le mot «saint» une deuxième fois[3].

Vous n'ignorez sans doute pas que William James nous propose deux façons de composer avec la colère, l'inquiétude, la peur, le désespoir et ainsi de suite, afin de mieux nous harmoniser à l'ordre invisible de l'univers: «Dans la première, une émotion contraire nous submerge, dans l'autre, le combat nous épuise au point de nous pousser à capituler.» Aujourd'hui, vous vous êtes livré à un dur combat; vous avez sans doute épuisé votre cerveau et vos émotions. En cette septième heure, le moment

1. Confusion de l'auteur. Le chant de louange des séraphins — «Saint, saint, saint est l'Éternel-Cebaot! Toute la terre est pleine de sa gloire!» — se trouve non pas dans Ézéchiel, mais bien dans Isaïe (6:3), et indirectement dans Apocalypse (4:6-8) où Jean voit «quatre Animaux» qui n'ont «cesse jour et nuit de dire: «Saint, Saint, Saint le Seigneur Dieu, le Dominateur, Celui qui était, qui est et qui doit revenir.» (N.d.t.)
2. Plus précisément, le nom *seraph* ou *sarap* (singulier de *seraphim*) est habituellement apparenté au verbe *sarap*, qui signifie «se consumer, brûler». (N.d.t.)
3. Interprétation très libre de l'auteur, bien que les séraphins soient souvent associés au feu. (N.d.t.)

est venu pour vous de renverser la vapeur. Vous voici prêt à accueillir l'ordre invisible, à vous laisser submerger par lui. J'aimerais cependant vous signaler, auparavant, que William James voyait dans la solution apportée à nos problèmes «un bonheur plus ordinaire», un état dans lequel nous ne cherchons plus à fuir, mais bien à vivre pleinement.

Comment y parvenir? Vous savez qu'on ne saurait le forcer. On doit se contenter de créer un contexte propice à cette expérience. On peut seulement se rendre disponible. Voilà en quoi consiste le travail de la septième et dernière heure.

Dans les chapitres 4 et 5, nous nous sommes penchés sur les cinq étapes de la traversée du néant. Rappelez-vous: bien que j'aie numéroté ces étapes, elles ne se produisent pas forcément de façon linéaire. Chacune contient toutes les autres, et toutes peuvent être vécues simultanément. Ces cinq étapes sont les suivantes:

1. L'acceptation de la descente dans le néant

Vous vous êtes aujourd'hui montré capable de descendre au plus profond de vous-même en persistant dans un travail intérieur difficile et exigeant. Vous n'y seriez pas parvenu sans d'abord admettre que ces dilemmes, qui vous occasionnaient des souffrances, vous jetaient dans la confusion et exacerbaient votre vulnérabilité, ne reflétant pas vos manques mais vos vertus. En effet, vos structures cognitives aspiraient à une plus grande maturité. Vous avez fait appel depuis ce matin à votre hémisphère droit, à vos émotions et à votre spiritualité afin de trouver un point de contact avec l'ordre invisible de l'univers, qui vous permette d'accéder à vos ressources les plus enfouies et de communier plus intimement avec un univers à la fois bienveillant et mystérieux. En acceptant de vous donner aussi entièrement aux méthodes proposées dans ce livre, vous vous êtes engagé dans un combat digne de vous.

2. La reddition sans condition

Chaque fois que vous avez résisté à l'envie de fuir votre souffrance et que vous vous y êtes plongé, vous avez progressé. Vous avez accepté de vivre plus pleinement tout l'éventail de vos émotions, confiant qu'en vous débarrassant de vos vieux réflexes vous vous rendiez disponible à de plus saines réactions.

3. La revendication de nos droits

Vous le savez maintenant: vous avez droit à ce que votre rapport à l'ordre invisible de l'univers donne un sens à votre vie. Vous avez le droit de dire à Dieu ce que vous attendez de lui, de poser les grandes questions, de ressentir des émotions profondes. Votre foi englobe tout: vous savez maintenant que même vos côtés noirs sont touchés par la grâce. Vous pouvez vous révolter contre l'injustice, vos limites humaines et les cruautés de la création. Lorsque vous souffrez ou êtes sensible à la peine d'autrui, vous vous reconnaissez ce droit à la souffrance. Vous ouvrez toutes grandes les portes de votre cœur, vous invitez votre prochain et les forces invisibles de l'univers à y déverser leur amour et leur soutien.

4. La transfiguration

Vous voici disponible comme jamais auparavant à la transfiguration. La transfiguration a lieu dès que vous acceptez de vivre pleinement votre vie, à quelque étape que vous vous trouviez. Vous renoncez aux tentatives de contrôle et de manipulation que vous dicte votre hémisphère gauche, vous cessez de provoquer les événements, de vous débattre, de travailler, d'analyser, de vous épuiser, de préserver, de protéger — et vous devenez une personne tout à fait ordinaire. À ce stade, la réponse que vous cherchez vous vient spontanément; il vous suffit de vous débarrasser de vos illusions, de vos désirs et de vos attentes, et, surtout, de cette voix qui vous félicite pour la qualité de votre vie spirituelle, pour les progrès accomplis et la valeur de votre contribution à l'humanité. Vous savez maintenant que ce n'est pas par des actions exceptionnelles que vous vous creuserez une niche dans l'ordre invisible de l'univers. Vous savez que vous l'occupez déjà.

5. L'émergence

Renouvelé, revitalisé, vous émergez tout à coup du chaos, désireux de vivre pleinement votre vie dans une perspective nouvelle. La foi qui vous anime vous rend sensible au fait que l'univers œuvre à travers vous, que ses desseins supérieurs sont souvent mystérieux et qu'ils dépassent votre compréhension. Vous savez viscéralement que, compte tenu de la personne que vous êtes, du chemin parcouru, de votre vie actuelle, vous vous trouvez exactement là où vous devez être en ce moment précis et que vous faites exactement ce que vous avez à faire. Vous entrez spontanément en rapport avec l'ordre invisible de l'univers, confiant que des forces occultes vous accompagnent à chaque instant.

*

Ces différentes étapes convergent vers la dernière démarche, celle de la septième heure et la plus extraordinaire de toutes celles que vous avez entreprises aujourd'hui. Elle apporte la touche finale à votre passage de la rationalité de l'hémisphère gauche à la spiritualité et à l'intuition de l'hémisphère droit. Ce moyen est le plus efficace que je connaisse pour transférer votre activité cérébrale d'un hémisphère à l'autre.

Il s'agit de la prière.

Non pas la prière à laquelle on vous a habitué, c'est-à-dire des formules d'imploration et de promesse. Il ne s'agit même pas de formules de gratitude. La prière dont je parle n'a qu'un but: rendre votre cœur disponible à ce qu'il doit recevoir.

Cette prière contient des éléments inspirés des pratiques dévotionnelles développées par le père Thomas Keating, un abbé cistercien, ainsi que des rituels amérindiens, zen et judéo-chrétiens.

En premier lieu, choisissez un mot ou une expression ayant pour vous un sens sacré, un mot ou une expression qui résume votre conscience d'une puissance supérieure. Ce pourrait être «Univers bienveillant», «Paix», «Dieu», en somme, tout mot ou toute expression qui appelle en vous la grâce divine.

Keating écrit:

> Le mot est sacré, car il symbolise votre acceptation de la présence mystérieuse de Dieu, d'une présence qui transcende toute pensée, toute représentation ou toute émotion. On ne le choisit pas en raison de son contenu mais en raison de sa fonction. Il est la baguette qui reflète notre cheminement intérieur vers la présence de Dieu.

Quand vous aurez arrêté votre choix, installez-vous dans l'endroit qui pourra le mieux favoriser le déroulement de ce rituel. Si possible, placez-vous face au coucher du soleil. Si le soleil est déjà couché ou s'il vous est impossible de le voir (vous vous trouvez dans une pièce sans fenêtre, ou le temps est couvert), prenez place devant les braises du foyer ou fixez la flamme d'une bougie.

Ensuite, tracez un cercle autour de vous. Dehors, vous pouvez tout simplement tracer un cercle sur le sol au moyen d'une brindille, ou encore former un cercle avec des pierres. À l'intérieur, entourez-vous de vos livres préférés ou d'objets qui ont pour vous une signification particulière. Vous pouvez aussi imaginer qu'un cercle de lumière vous entoure.

Une fois ce cercle complété, asseyez-vous au milieu, regardez dans le vague et détendez-vous. Ne regardez rien en particulier, ne pensez à rien de précis. Ensuite? Attendez. Si l'anxiété vous gagne, si un sentiment de désir ou d'expectative vous atteint, redites votre parole sacrée afin de vous libérer de toute pensée et de tout sentiment, et réintégrez le silence. Dès que votre esprit ou vos émotions s'égarent, cette parole vous aidera à regagner le silence intérieur.

Le *Yi-king* décrit comme suit l'état dans lequel vous pénétrez:

> Attendez patiemment et avec courage. Le temps créera sa propre plénitude. Supportez sans crainte l'affaiblissement de votre volonté; l'important est de ne pas provoquer avant terme la venue de la révélation.

L'attente sera-t-elle longue? Qu'attendrez-vous au juste? Vous saurez ce que vous attendez quand vous aurez conscience de l'avoir reçu, et vous accepterez d'attendre aussi longtemps que nécessaire.

Au coucher du soleil
et au-delà

19
Votre moi ordinaire vous suffit

Une célèbre parabole zen raconte qu'un novice approcha un jour son maître, Joshu.
«Je vous en prie, répondez-moi. Quelle est la clé de la compréhension? Le secret de la révélation?»
Joshu posa ses yeux sur lui.
«Avez-vous déjà pris votre repas du soir?»
«Oui, fit le jeune moine; j'ai mangé.»
Joshu poursuivit: «Maintenant, lavez votre bol.»

En 1938, l'auteur de *If You Want to Write: A Book About Art, Independence and Spirit,* Barbara Ueland, constata que ses meilleurs moments de créativité, ses inspirations, la solution de ses dilemmes et de ses problèmes lui venaient lors de ses longues promenades quotidiennes dans la campagne avoisinant son domicile, au cours desquelles elle parcourait environ huit ou neuf kilomètres.

Ueland écrit: «Je n'ai de nouvelles idées que si je me promène un peu trop longtemps.»

> Les personnes intelligentes, impatientes, dynamiques disent si souvent: «Je n'ai aucun don créateur.» Elles en ont. Mais elles devraient être oisives, passives et seules la plupart du temps, aussi paresseuses qu'un pêcheur au bout d'un quai, et, au lieu de vouloir, se contenter d'observer et de réfléchir. Cette observation sereine, cette réflexion sont les clés de

> l'imagination. Elles favorisent l'émergence de nouvelles idées. Vouloir consiste plutôt à se livrer à ce que l'on connaît déjà, qui nous a été transmis par quelqu'un d'autre, qui ne requiert aucune imagination. Bien vite, l'âme devient terriblement stérile. On s'active et on se hâte à accomplir une tâche après l'autre, si bien que nos idées n'ont plus le temps d'émerger, de se développer et de briller de leur doux éclat.

Lors de ses promenades solitaires, Ueland absorbe le ciel, le lac, les arbres qui l'entourent, cou et mâchoires détendus, et elle récite un mantra: «Je n'ai aucune raison de me hâter... je suis libre.»

C'est cette liberté que Joshu enseignait à son disciple, de même que les autres sages que nous avons croisés aujourd'hui, de William James à Einstein, de saint Augustin à l'ermite tibétain Milarepa. Vous avez eu aujourd'hui un aperçu de la liberté à laquelle fait allusion Ueland. Pendant une journée entière, vous êtes parvenu à échapper au bavardage incessant de votre hémisphère gauche volontaire et vous vous êtes repu d'idées inachevées, de rêves inexprimés, de cette grâce divine qui attend de se manifester.

Ce livre s'ouvre sur une citation de Havelock Ellis: *«Nous avons soif d'infini et nous nous laissons volontiers porter par la moindre petite vague qui pourrait nous y conduire.»*

J'ose espérer que, de par vos expériences de ce jour, vous comprenez mieux le principe qui sous-tend cet ouvrage: la solution à vos problèmes et à vos dilemmes sera une conséquence de votre détermination à vivre pleinement. La cause de votre inaptitude à vous harmoniser à l'univers, à ce lieu où les réponses que vous cherchez vous sont révélées sans effort de votre part, est fortuite et peut être surmontée. Vous savez maintenant que l'on peut remédier aux errements, à l'inflexibilité et à l'ignorance. Les révélations, les intuitions et la sagesse ne sont pas des occurrences exceptionnelles, mais naturelles: elles peuvent survenir dès l'instant où vous comprenez que votre moi ordinaire vous suffit.

Vous vous êtes déjà révélé apte à créer un contexte favorable à votre harmonisation à l'ordre invisible de l'univers, mais vous y êtes parvenu parce qu'un dilemme précis occupait votre esprit. Voici le défi que je vous lance: acceptez-vous de vivre ainsi chaque jour de votre vie?

Si vous vous évertuez à surmonter tous les obstacles, jurant, comme vous le faisiez naguère, de ne permettre à rien de freiner votre cheminement, vous deviendrez fragile et impulsif. Vous irez par inadvertance à l'encontre de l'univers, et votre arrogance accroîtra votre résistance au lieu de la diminuer. Une attitude plus constructive consiste à proclamer que vous ferez de votre mieux pour réussir, en acceptant les obstacles dressés sur votre route. Le *Yi-king* vous enseigne le moyen d'y parvenir. N'ayez de cesse de mettre de l'ordre dans votre vie et de fouiller votre âme «afin qu'elle ne résiste pas à la volonté de Dieu».

Plutôt que d'attaquer votre problème de front comme un ennemi à conquérir, imitez le mouvement de l'eau. Selon le *Yi-king*, l'eau doit nous inspirer, car:

> Elle coule sans répit, comblant tous les lieux où elle passe. Elle n'évite ni les écueils ni les chutes, et rien ne la prive de son essence. En toute circonstance, elle demeure fidèle à sa nature.

Pouvez-vous promettre à Dieu que vous ferez le nécessaire pour trouver les réponses que vous cherchez, en sachant que «faire le nécessaire» signifie aussi assurer le bien-être de votre esprit? Pouvez-vous croire que votre esprit prévaudra en dépit des nombreux obstacles? Le secret consiste à ne pas viser la perfection, mais bien à enrichir votre âme de façon à tout y accueillir, y compris la perfection. La créativité est un processus organique, vital. Le chaos et l'incertitude sont essentiels à tout processus créateur. On envisage toutes les possibilités qui se présentent, on prend des risques, on sépare le bon grain de l'ivraie. Lorsque l'on admet que l'hémisphère droit, loin de nous protéger d'une vie bien remplie, nous ouvre la porte de la plénitude, un certain désordre s'ensuit. Vous devez vous tenir prêt à affronter vos dilemmes, à mettre à l'épreuve vos réflexions les plus sensées, vos solutions, vos intuitions et même vos plus grandes espérances.

Une fois épuisées vos ressources intérieures — cela se produira de temps à autre — il vous restera l'option suivante: trouver le courage d'être simple.

Pour notre contemporain Katagiri Roshi, un moine zen, c'est là un défi de taille:

«Pendant le dernier *sesshin*, alors que nous étions assis, je me surpris à songer: "Ma vie se résume-t-elle à cela: rester assis?" Puis, tout fut clair. J'avais eu une idée de plus.»

Le destin aime le vide et la simplicité; il se précipite dans le néant dans toute sa lumière et son amour. Lorsque le doute vous assaille, penchez encore plus vers l'ordinaire. Vous toucherez au but.

De toute évidence, vous n'êtes pas en mesure de prendre congé de vos activités quotidiennes pour vous adonner à des exercices tels ceux d'aujourd'hui chaque fois que vous êtes confronté à un dilemme. Vous ne pouvez ou ne voulez pas mettre de côté vos responsabilités et vos engagements pour vivre comme un moine ou un saint.

Mais n'est-il pas possible pour vous de renouer avec votre intériorité quand le besoin s'en fait sentir? N'est-il pas possible pour vous d'interrompre le fonctionnement de votre hémisphère gauche afin de favoriser l'émergence de vos intuitions?

C'est possible, grâce au dernier outil que je mets aujourd'hui à votre disposition et qui consiste à vous poser la question suivante:

Quels sont les possibles?

Quels sont les *possibles* — que pouvez-vous donner, que pouvez-vous accomplir avant de vous ressourcer? Quels compromis acceptez-vous de faire — et quels sont ceux qui nuiraient à votre âme? Quels sont les *possibles*, eu égard au fait qu'en dépit de votre engagement des forces sont à l'œuvre dans votre vie et dans l'univers, des forces qui vous dépassent? Quels sont les *possibles*: que pouvez-vous changer? Que devez-vous accepter?

Quels sont les *possibles* — quand vous cessez de bombarder votre cerveau avec des tas de petites idées, quand vous employez votre énergie vitale à créer plutôt qu'à protéger? Quels sont les *possibles* — quand vous renoncez à des systèmes de valeurs qui n'ont plus leur raison d'être et que vous partez à la découverte de votre nouvelle vie? Quels sont les *possibles* — quand vous en appelez à vos plus grandes aspirations, que vous consentez aux sacrifices, que vous payez le prix d'une vie pleinement vécue? Quels sont les *possibles* — quand l'amour et la gratitude dont votre cœur se remplit débordent et illuminent la vie de votre entourage? Quels sont les *possibles* — quand votre âme l'emporte sur vos appréhensions et que vous trouvez en vous-même le courage de renoncer au *statu quo* et de plonger dans l'inconnu?

Je rêve d'une société où les hommes et les femmes seraient pleinement conscients des dissonances productives opposant ce qui est accompli et ce qui est possible, une société d'humains qui cheminent intérieurement vers un lieu où les valeurs morales l'emportent sur le confort matériel. Je rêve d'une humanité qui prendrait le temps d'enrichir ses relations personnelles, de se détendre, de s'amuser, d'aimer. Je rêve d'une société où les individus consentiraient à combattre l'imperfection humaine, et qui pourtant travailleraient, rêveraient et auraient foi en un monde meilleur. Je rêve du jour où des gens de toutes confessions partageraient indivisiblement la même grâce transcendante, feraient partie d'un seul et même tout.

L'expérience mystique est le lieu où tous participent également à l'ordre invisible de l'univers. C'est là l'ultime liberté, accessible à chacun de nous. Quand vous aurez vécu cette expérience, vous en reviendrez transformé.

Au début de cet ouvrage, j'ai cité une pensée de William James sur le potentiel de l'humanité: «Toute vie comporte des limites supérieures et des limites inférieures.» Nous ne pouvons développer pleinement notre spiritualité que si nous consentons à «atteindre nos limites supérieures et occuper notre plus haut palier d'énergie vitale.» Vous devez consentir à vivre votre vie dans un contexte favorable à l'épanouissement de votre spiritualité, sans quoi la vie vous semblera terne et sans espoir.

J'ose espérer que les exercices de ce jour vous auront permis de résoudre le dilemme auquel vous étiez confronté ce matin. Réjouissez-vous de ce que vous avez accompli. J'espère que cette journée vous aura procuré un bienfait plus important encore: la possibilité de percevoir quelques-unes des lois divines et mystérieuses de l'univers.

Dans la Genèse, le coucher du soleil ne marque pas la fin de la journée écoulée, mais bien la naissance du jour suivant. À mesure que le soleil descend sur le problème qui vous a accompagné aujourd'hui, abandonnez dans sa course ce qui n'a plus sa raison d'être dans votre vie. Quelle certitude de ce matin êtes-vous parvenu à transcender? Quel jugement porté par autrui sur votre vie vous est maintenant devenu inutile? Quelles sont les croyances inculquées dans l'enfance dont vous n'avez plus besoin? Que signifierait pour vous renoncer à tout cela?

Vous êtes un peu nostalgique; c'est normal. Les certitudes que le soleil entraîne avec lui dans sa course vous accompagnent depuis longtemps. Au moment où les derniers rayons du soleil succombent à la nuit, posez-vous la question suivante: *En quoi ma vie sera-t-elle différente dorénavant?*

Ce soir, vous n'êtes pas la même personne que celle qui, ce matin, a ouvert ce livre. Ainsi, vous retournerez à une vie et à un monde différents de ceux que vous avez quittés. L'univers est sans cesse en mouvement. Vous ne pouvez pas savoir ce qui se produira, même dans quelques secondes. Vous souvenez-vous du faiseur de pluie? Pendant qu'il se livrait à la contemplation afin de s'harmoniser à l'ordre invisible, avant même d'entamer son rituel, la pluie se mit à tomber. La force de son engagement était si grande qu'une méditation seule avait suffi à modifier le climat ambiant.

Vous retournerez bientôt à vos activités quotidiennes, armé cette fois d'un regard inédit, d'une connaissance et d'aptitudes nouvelles. Sachez que, peu importe les résultats obtenus aujourd'hui, vous avez accompli votre destinée. Vous avez cultivé votre terreau intérieur, vous avez semé un germe qui déjà grandit et se déploie en vous. La conscience d'un dessein renouvelé, une intuition inattendue, une révélation peuvent survenir à tout moment.

Que le soleil couchant emporte avec lui vos résistances, vos doutes, votre désir de tout contrôler. Mais qu'il vous laisse ce à quoi vous refusez dorénavant de renoncer: ce rapport à l'invisible qui donne un sens à votre vie et auquel vous avez droit; l'héroïsme inhérent à toute vie pleinement vécue; et, par-dessus tout, l'aptitude à croire aux miracles.

Attendez-vous à des surprises.

Résumé de la méthode

Les quatre hypothèses énoncées

1

L'univers est soumis à un ordre invisible.

2

Notre salut consiste à nous ajuster harmonieusement à cet ordre invisible.

3

Les causes de notre mauvais alignement avec l'univers sont fortuites et surmontables.

4

Des forces qui dépassent notre entendement contribuent déjà à la résolution de nos problèmes.

Première heure
L'identification de votre objectif

Quel est votre objectif aujourd'hui? Quel problème vous préoccupe et que désirez-vous accomplir? Dans les prochaines minutes, écrivez sans arrêt, sans jamais soulever la plume du papier sinon pour tourner la page. Écrivez aussi vite que vous le pouvez. Notez tout ce qui vous passe par la tête. Efforcez-vous de ne pas orienter vos pensées, mais bien de les suivre.

Deuxième heure
Étayez votre descente

Au cours de cette deuxième heure, votre seule tâche consiste à faire totalement l'expérience de vos émotions. Faites jouer un disque. Allumez un feu de foyer. Fermez la porte afin de ne pas être dérangé. Laissez-vous aller complètement à vos émotions. N'écrivez rien. Ne lisez pas. Ne faites rien d'autre que ressentir. Si vous appréhendez de ne plus remonter à la surface, réglez votre réveil: il vous indiquera que votre descente a pris fin.

Troisième heure
Placez votre problème dans son contexte

Répondez aux questions qui suivent afin de découvrir le sens caché de votre mythe originel et vous efforcer de découvrir les racines de votre dilemme actuel dans les solutions passées.

1. **Quel est votre premier souvenir heureux?**
2. **Qu'est-ce qui a mis fin à ce bonheur?**
3. **Pour quelle solution avez-vous opté?**
4. **Quelles ont été les conséquences positives de votre solution?**
5. **Quel a été le prix de cette solution?**
6. **De quelle façon ce sacrifice de naguère vous affecte-t-il encore aujourd'hui? En quoi est-il relié au dilemme que vous désirez résoudre en ce moment?**

Lorsque vous aurez répondu à ces questions, rédigez le mythe de votre vie. Commencez chaque paragraphe par les mots suivants:

1. **Il était une fois un petit enfant heureux qui s'appelait...**
2. **Puis quelque chose de terrible vint à se produire...**
3. **Le valeureux petit enfant sut ce qu'il devait faire...**
4. **Et ils vécurent heureux jusqu'à la fin de leurs jours...**
5. **La morale de cette histoire est...**

Posez-vous la question suivante: la morale que vous venez d'écrire peut-elle contribuer à résoudre votre dilemme actuel? Si la réponse est négative, retournez à votre récit et récrivez-le pour le faire correspondre à la réalité que vous souhaitez être aujourd'hui la vôtre. Vous pouvez recourir aux mêmes entrées en matière que je vous proposais (paragraphes 1 et 2). Mais donnez à votre récit un autre dénouement. Aux paragraphes 3, 4 et 5, faites l'essai de différentes intrigues jusqu'à ce que votre héros ou votre héroïne obtienne le résultat qu'il mérite, le résultat qui pourra vous aider aujourd'hui.

Quatrième heure
La stupéfaction, ou le coup de foudre

Pendant l'heure qui suit, vous devez vous poser quatre questions précises en rapport avec le problème que vous souhaitez résoudre avant le coucher du soleil.

1. **Quel est le vrai problème ou dilemme auquel je suis confronté en ce moment?**
2. **Quelle est la nature de l'obstacle qui m'empêche de lui trouver une solution avant le coucher du soleil?**
3. **Que devrais-je faire?**
4. **À quel résultat puis-je m'attendre?**

Choisissez un appui parmi ceux qui vous sont proposés ci-dessous, ou n'importe quelle combinaison des quatre:

1. La divination, en tant qu'instrument de décision intuitive. Il comporte deux conditions. Premièrement, vous devez vous engager à ne pas consulter d'ouvrage d'interprétation des tarots. Demandez-vous quel sens possèdent pour vous de tels symboles. La seconde condition est la suivante: si vous tirez une carte ou étalez un jeu qui vous semble erroné, ou si vous n'aimez pas les cartes qui sont sorties, recommencez, ou alors renoncez à cette méthode une fois pour toutes.
2. Prenez votre livre préféré, par exemple la Bible, ou tout autre ouvrage édifiant, et, en vous concentrant sur votre question (vos questions), ouvrez le livre au hasard et cherchez conseil dans les mots que vous lisez.

3. Emmenez vos questions faire une promenade dans la nature. En vous promenant, demeurez réceptif à tout ce qui, dans l'environnement, peut avoir une signification pour vous.
4. Méditez les yeux fermés sur votre question, ou emportez-la avec vous dans un sommeil profond (n'oubliez pas d'ajuster votre réveil). Demandez que la réponse vous vienne dans une vision ou un rêve. Dès que vous ouvrirez les yeux, notez votre rêve avec le plus de détails possible. Si vous préférez faire de la visualisation, fermez les yeux et imaginez qu'un être sage et bon s'avance vers vous et vous offre un présent. Lorsque vous le recevez, imaginez que vous ouvrez la boîte et que vous regardez le présent qu'elle contient. Laissez-vous aller à la surprise.

Cinquième heure
Conversez avec vos voix intérieures

Vous allez aujourd'hui soumettre votre dilemme aux membres de votre conseil d'administration intime et leur demander de lui trouver une solution qui recueille leur consensus. Si vous possédez déjà la solution à votre problème, ou si vous avez reçu aujourd'hui les directives d'une voix spécifique, demandez-lui de s'exprimer en premier. Notez les questions qui suivent ainsi que vos réponses.

Je demande à la première voix de nous faire part de sa position concernant le problème que je souhaite résoudre avant le coucher du soleil. Avez-vous une solution satisfaisante à proposer? Si oui, quelle est-elle? Sinon, qu'est-ce qui vous gêne?

Quelle est la réaction du juge à ce que nous venons d'entendre?

Quelle est la réaction du protecteur à ce que nous venons d'entendre?

Quelle est la réaction de l'enfant à ce que nous venons d'entendre?

Quelqu'un d'autre désire-t-il énoncer son point de vue sur ce que nous venons d'entendre ou sur mon rôle en tant que président de séance?

Le moment est venu pour nous d'entendre notre conseiller spécial, le moi supérieur. Moi supérieur, maintenant que toutes ces voix ont parlé, quel est votre point de vue? Si vous m'avez déjà transmis une image onirique, un indice ou un symbole que je n'ai pas saisi, expliquez-le-moi. Que signifie-t-il? Quelles directives cherchez-vous à me transmettre?

Si un consensus a été atteint, remerciez les membres du conseil et levez la séance. Sinon, mettez la question en délibération. Une fois l'exercice terminé, levez la séance comme suit: Membres du conseil, moi supérieur, je vous remercie pour le temps et les efforts que vous avez consacrés à cette affaire. La séance est levée.

Sixième heure
Les onze questions

1. **Quel problème tenez-vous le plus à résoudre en ce moment?**
2. **Quel dénouement espérez-vous?**
3. **Qu'avez-vous fait, jusqu'à présent, pour résoudre votre problème?**
4. **Qu'est-ce qui, dans votre approche, s'est révélé inefficace?**
5. **Quel avantage avez-vous retiré de cette situation?**
6. **Connaissez-vous une meilleure façon de profiter de tels bienfaits?**
7. **Comment pouvez-vous faire en sorte de changer la situation présente?**
8. **Quels aspects de cette situation devez-vous accepter?**
9. **Qu'appréhendez-vous le plus de cette situation?**
10. **Quelle est la vraie nature de ce problème?**
11. **Qu'êtes-vous disposé à faire pour trouver la solution que vous cherchez?**

Septième heure et au-delà
Le moment de la récolte

1. Relisez vos textes, remémorez-vous vos expériences. Rappelez-vous comment vous envisagiez votre problème, vous-même et cette méthode ce matin, et ce qu'ils représentent pour vous maintenant.
2. Adressez une lettre au dilemme qui vous a accompagné jusqu'ici et rendez compte du rôle qu'il a joué dans votre vie. Pardonnez-lui, car il obéit à l'ordre invisible de l'univers.
3. Mettez le feu à votre lettre, jetez-la dans l'océan, bref, laissez-vous guider par votre inspiration. Ou encore, conservez-la dans un endroit

spécial qui puisse vous rappeler le chemin parcouru et le chemin à parcourir.

4. Rendez votre cœur disponible à ce qu'il doit recevoir. Choisissez un mot ou une expression ayant pour vous un sens sacré, un mot ou une expression qui résume votre conscience d'une puissance supérieure. Quand vous aurez arrêté votre choix, installez-vous dans l'endroit qui pourra le mieux favoriser le déroulement de ce rituel. Si possible, placez-vous face au coucher du soleil. Ensuite, tracez un cercle autour de vous. Dehors, vous pouvez tout simplement tracer un cercle sur le sol au moyen d'une brindille, ou encore former un cercle avec des pierres. À l'intérieur, entourez-vous de vos livres préférés ou d'objets qui ont pour vous une signification particulière. Vous pouvez aussi imaginer qu'un cercle de lumière vous entoure. Une fois ce cercle complété, asseyez-vous au milieu, regardez dans le vague et détendez-vous. Ne regardez rien en particulier, ne pensez à rien de précis. Ensuite? Attendez. Si l'anxiété vous gagne, si un sentiment de désir ou d'expectative vous atteint, redites votre parole sacrée afin de vous libérer de toute pensée et de tout sentiment, et réintégrez le silence. Dès que votre esprit ou vos émotions s'égarent, cette parole vous aidera à regagner le silence intérieur. L'attente sera-t-elle longue? Qu'attendrez-vous au juste? Vous saurez ce que vous attendez quand vous aurez conscience de l'avoir reçu, et vous accepterez d'attendre aussi longtemps que nécessaire.

Quels sont les possibles?

Bibliographie

Anthony, Carol K. *The Philosophy of the I Ching.* Stow, Mass., Anthony Publishing, 1981.

Batson, Daniel C. Patricia Schoenrade et Larry W. Ventis. *Religion and the Individual: A Social-Psychological Perspective.* New York, Oxford University Press, 1993.

Borysenko, Joan, Ph.D. *Fire in the Soul.* New York, Warner, 1993.

Bergman, Lucy. *The Rediscovery of Inner Experience.* Chicago Nelson-Hall Publishing, 1982.

Byrnes, Joseph F. *The Psychology of Religion.* New York, Free Press, 1984.

Campbell, Joseph (entretiens avec Michael Toms). *An Open Life.* Burdett, N.Y., Larson Publications, 1988.

Carroll, Robert P. *When Prophecy Failed: Cognitive Dissonance in the Prophetic Tradition of the Old Testament.* New York, Seabury Press, 1979.

Chodron, Pema. *Start Where You Are: A Guide to Compassionate Living.* Boston, Shambhala Publishing, 1994.

Eliade, Mircea, sous la direction de. *The Encyclopedia of Religion.* New York, Macmillan, 1987.

Feinstein, David, Ph.D., et Stanley Krippner, Ph.D. *Personal Mythology.* New York, Tarcher, 1988.

James, William. *The Varieties of Religious Experience: A Study in Human Nature.* Introduction de Reinhold Niebuhr. New York, Collier Books, 1961.

Jung, Carl G. *Man and His Symbols.* Garden City, N.Y., Doubleday, 1964.

Keen, Sam et Anne Valley Fox. *Telling Your Story.* Garden City, N.Y., Doubleday, 1973.

Lindbergh, Anne Morrow. *Gift From the Sea.* New York, Vintage Books, 1978.

Marrs, Donald. *Executive in Passage.* Los Angeles, Barrington Sky Publishing, 1990.

May, Rollo. *The Cry for Myth.* New York, W.W. Norton, 1991.

Phillips, Dorothy Berkley. *The Choice is Always Ours.* New York, R.B. Smith, 1948.

Sawyer, F.A. *Prophecy and the Prophets of the Old Testament.* New York, Oxford University Press, 1987.

Stone, Hal, Ph.D., et Sidra Winkleman, Ph.D. *Embracing Ourselves.* San Rafael, Calif., New World Library, 1989.

Telushkin, Rabbi Joseph. *Jewish Wisdom.* New York, William Morrow, 1994.

Toppel, Edward Allen. *Zen in the Markets: Confessions of a Samurai Trader.* New York, Warner Books, 1994.

Ueland, Barbara. *If You Want to Write: A Book About Art, Independence and Spirit.* Saint Paul, Minn., Graywolf Press, 1987.

Ward, James. *Thus Says the Lord.* Nashville, Abington Press, 1991.

Weiner, Herbert. *9 and 1/2 Mystics: The Kabbala Today.* Avant-propos d'Elie Wiesel. New York, Collier Books, 1969. (Macmillan Publishing Co., réédition de 1992.)

Wilhelm, Richard, et Cary F. Baynes. *The I Ching.* Avant-propos de Carl Jung. Princeton, N.J., Princeton University Press, 1950.

Table des matières

Ouvrages parus aux Éditions de l'Homme

Cuisine et nutrition

Les aliments et leurs vertus, Jean Carper
Les aliments qui guérissent, Jean Carper
Le barbecue, Patrice Dard
* **Bien manger sans se serrer la ceinture,** Marie Breton
* **Biscuits et muffins,** Marg Ruttan
Bon appétit!, Mia et Klaus
Bonne table et bon cœur, Anne Lindsay
* **Bons gras, mauvais gras,** Louise Lambert-Lagacé et Michelle Laflamme
Le boulanger électrique, Marie-Paul Marchand
* **Le cochon à son meilleur,** Philippe Mollé
* **Cocktails de fruits non alcoolisés,** Lorraine Whiteside
Combler ses besoins en calcium, Denyse Hunter
Comment nourrir son enfant, Louise Lambert-Lagacé
La congélation de A à Z, Joan Hood
Les conserves, Sœur Berthe
* **Crème glacée et sorbets,** Yves Lebuis et Gilbert Pauzé
La cuisine au wok, Charmaine Solomon
* **La cuisine chinoise traditionnelle,** Jean Chen
La cuisine des champs, Anne Gardon
La cuisine, naturellement, Anne Gardon
* **Cuisiner avec le four à convection,** Jehane Benoit
Le défi alimentaire de la femme, Louise Lambert-Lagacé
Devenir végétarien, V. Melina, V. Harrison et B. C. Davis
* **Du moût ou du raisin? Faites vous-même votre vin,** Claudio Bartolozzi
* **Faire son pain soi-même,** Janice Murray Gill
* **Faire son vin soi-même,** André Beaucage
Harmonisez vins et mets, Jacques Orhon
* **Le livre du café,** Julien Letellier
Mangez mieux, vivez mieux!, Bruno Comby
* **Menus et recettes du défi alimentaire de la femme,** Louise Lambert-Lagacé
* **Les muffins,** Angela Clubb
* **La nouvelle boîte à lunch,** Louise Desaulniers et Louise Lambert-Lagacé
La nouvelle cuisine micro-ondes, Marie-Paul Marchand et Nicole Grenier
La nouvelle cuisine micro-ondes II, Marie-Paul Marchand et Nicole Grenier
Les passions gourmandes, Philippe Mollé
* **Les pâtes,** Julien Letellier
* **La pâtisserie,** Maurice-Marie Bellot
Plaisirs d'été, Collectif
Réfléchissez, mangez et maigrissez!, Dr Dean Ornish
La sage bouffe de 2 à 6 ans, Louise Lambert-Lagacé
* **Soupes et plats mijotés,** Marg Ruttan et Lew Miller
Les tisanes qui font merveille, Dr Leonhard Hochenegg et Anita Höhne
Une cuisine sage, Louise Lambert-Lagacé
* **Votre régime contre l'acné,** Alan Moyle
* **Votre régime contre la colite,** Joan Lay
* **Votre régime contre la cystite,** Ralph McCutcheon
* **Votre régime contre la sclérose en plaque,** Rita Greer
* **Votre régime contre l'asthme et le rhume des foins,** R. Newman Turner
* **Votre régime contre le diabète,** Martin Budd
* **Votre régime contre le psoriasis,** Harry Clements
* **Votre régime pour contrôler le cholestérol,** R. Newman Turner
* **Les yogourts glacés,** Mable et Gar Hoffman

Psychologie, vie affective, vie professionnelle, sexualité

20 minutes de répit, Ernest Lawrence Rossi et David Nimmons
1001 stratégies amoureuses, Marie Papillon
À dix kilos du bonheur, Danielle Bourque
L'adultère est un péché qu'on pardonne, Bonnie Eaker Weil et Ruth Winter
* **Aider mon patron à m'aider,** Eugène Houde
Aimer et se le dire, Jacques Salomé et Sylvie Galland
À la découverte de mon corps — Guide pour les adolescentes, Lynda Madaras
À la découverte de mon corps — Guide pour les adolescents, Lynda Madaras
L'amour comme solution, Susan Jeffers
* **L'amour, de l'exigence à la préférence,** Lucien Auger
Les anges, mystérieux messagers, Collectif
Apprendre à dire non, Marcelle Lamarche et Pol Danheux
L'approche émotivo-rationnelle, Albert Ellis et Robert A. Harper
L'art de parler en public, Ed Woblmuth
L'art d'être parents, Dr Benjamin Spock
Balance en amour, Linda Goodman
Bélier en amour, Linda Goodman
Bientôt maman, Janet Whalley, Penny Simkin et Ann Keppler
* **Le bonheur au travail,** Alan Carson et Robert Dunlop
Cancer en amour, Linda Goodman
Capricorne en amour, Linda Goodman
Ces chers parents!..., Christina Crawford
* **Ces hommes qui méprisent les femmes... et les femmes qui les aiment,** Dr Susan Forward et Joan Torres
Ces visages qui en disent long, Jeanne-Élise Alazard
Changer en douceur, Alain Rochon
Changer ensemble — Les étapes du couple, Susan M. Campbell
Changer, oui, c'est possible, Martin E. P. Seligman
Les clés du succès, Napoleon Hill
Comment aider mon enfant à ne pas décrocher, Lucien Auger
Comment communiquer avec votre adolescent, E. Weinhaus et K. Friedman
Comment faire l'amour sans danger, Diane Richardson
* **Comment parler en public,** S. Barrat et C. H. Godefroy
Comment s'amuser à séduire l'autre, Lili Gulliver
Le complexe de Casanova, Peter Trachtenberg
* **Comprendre et interpréter vos rêves,** Michel Devivier et Corinne Léonard
La côte d'Adam, M. Geet Éthier
Découvrez votre quotient intellectuel, Victor Serebriakoff
Découvrir un sens à sa vie avec la logothérapie, Viktor E. Frankl
Le défi de vieillir, Hubert de Ravinel
* **De ma tête à mon cœur,** Micheline Lacasse
La dépression contagieuse, Ronald M. Podell
La deuxième année de mon enfant, Frank et Theresa Caplan
Devenez riche, Napoleon Hill
* **Dieu ne joue pas aux dés,** Henri Laborit
Les douze premiers mois de mon enfant, Frank Caplan
Dynamique des groupes, Jean-Marie Aubry
En attendant notre enfant, Yvette Pratte Marchessault
* **Les enfants de l'autre,** Erna Paris
Les enfants de l'indifférence, Andrée Ruffo
* **L'enfant unique — Enfant équilibré, parents heureux,** Ellen Peck
L'Ennéagramme au travail et en amour, Helen Palmer
* **L'esprit du grenier,** Henri Laborit
Êtes-vous faits l'un pour l'autre?, Ellen Lederman
* **L'étonnant nouveau-né,** Marshall H. Klaus et Phyllis H. Klaus
Être soi-même, Dorothy Corkille Briggs
* **Évoluer avec ses enfants,** Pierre-Paul Gagné
Exceller sous pression, Saul Miller
* **Exercices aquatiques pour les futures mamans,** Joanne Dussault et Claudia Demers
Fantaisies amoureuses, Marie Papillon
La femme indispensable, Ellen Sue Stern
La force intérieure, J. Ensign Addington
Le fruit défendu, Carol Botwin
Gémeaux en amour, Linda Goodman
Le goût du risque, Gert Semler
Le grand dauphin blanc, Bruno Saint-Cast

Tout se joue avant la maternelle, Masaru Ibuka
* **Travailler devant un écran,** Dr Helen Feeley
Un autre corps pour mon âme, Michael Newton
* **Un monde insolite,** Frank Edwards
* **Un second souffle,** Diane Hébert
Verseau en amour, Linda Goodman
* **La vie antérieure,** Henri Laborit
Vierge en amour, Linda Goodman
Vivre avec un cardiaque, Rhoda F. Levin
Vos enfants consomment-ils des drogues?, Steve Carper et Timothy Dimoff
Votre enfant est-il victime d'intimidation?, Sarah Lawson
Vouloir c'est pouvoir, Raymond Hull

Santé, beauté

Alzheimer — Le long crépuscule, Donna Cohen et Carl Eisdorfer
L'arthrite, Dr Michael Reed Gach
Le cancer du sein, Dr Carol Fabian et Andrea Warren
* **Comment arrêter de fumer pour de bon,** Kieron O'Connor, Robert Langlois et Yves Lamontagne
De belles jambes à tout âge, Dr Guylaine Lanctôt
Dormez comme un enfant, John Selby
Dos fort bon dos, David Imrie et Lu Barbuto
* **Être belle pour la vie,** Bronwen Meredith
Guide critique des médicaments de l'âme, D. Cohen et S. Cailloux-Cohen
L'hystérectomie, Suzanne Alix
L'impuissance, Dr Pierre Alarie et Dr Richard Villeneuve
Initiation au shiatsu, Yuki Rioux
* **Maigrir: la fin de l'obsession,** Susie Orbach
* **Le manuel Johnson & Johnson des premiers soins,** Dr Stephen Rosenberg
* **Les maux de tête chroniques,** Antonia Van Der Meer
Maux de tête et migraines, Dr Jacques P. Meloche et J. Dorion
La medecine des dauphins, Amanda Cochrane et Karena Callen
Mince alors... finis les régimes!, Debra Waterhouse
Perdez du poids... pas le sourire, Dr Senninger
Perdre son ventre en 30 jours, Nancy Burstein
* **Principe de la technique respiratoire,** Julie Lefrançois
* **Programme XBX de l'aviation royale du Canada,** Collectif
Renforcez votre immunité, Bruno Comby
Le rhume des foins, Roger Newman Turner
Ronfleurs, réveillez-vous!, Jocelyne Delage et Jacques Piché
La santé après 50 ans, Muriel R. Gillick
Savoir relaxer — Pour combattre le stress, Dr Edmund Jacobson
* **Soignez vos pieds,** Dr Glenn Copeland et Stan Solomon
Le supermassage minute, Gordon Inkeles
Vivre avec l'alcool, Louise Nadeau

le jour, éditeur

Ouvrages parus au Jour

Affaires, loisirs, vie pratique

* **L'affrontement,** Henri Lamoureux
* **Les bains flottants,** Michael Hutchison
* **Conte pour buveurs attardés,** Michel Tremblay
* **La France à la québécoise,** André Bergeron et Émile Roberge
* **Le guide du répondeur bien branché,** Robert Blondin et Lucie Dumoulin
* **J'avais oublié que l'amour fût si beau,** Évette Doré-Joyal
* **Jean-Paul ou les hasards de la vie,** Marcel Bellier
* **Oslovik fait la bombe,** Oslovik
* **Questions réponses sur vos droits et recours,** François Huot

Animaux

Attirer les oiseaux, les loger, les nourrir, André Dion
Le berger allemand, Dr Joël Dehasse
Le berger belge, Dr Joël Dehasse
Le bichon maltais, Dr Joël Dehasse
Le bobtail, Dr Joël Dehasse
Le boxer, Dr Joël Dehasse
Le braque allemand, Dr Joël Dehasse
Le caniche, Dr Joël Dehasse
Le chat himalayen, Nadège Devaux
Le cocker américain, Dr Joël Dehasse
Le colley, Dr Joël Dehasse
Le doberman, Dr Joël Dehasse
Le golden retriever, Dr Joël Dehasse
Le husky, Dr Joël Dehasse
Les inséparables, Michèle Pilotte
Le labrador, Dr Joël Dehasse
Le persan chinchilla, Nadège Devaux
Les persans, Nadège Devaux
Secrets d'oiseaux, Pierre Gingras
Le serin (canari), Michèle Pilotte
Le siamois, Nadège Devaux
Le teckel, Dr Joël Dehasse
Le westie, Dr Joël Dehasse
Le yorkshire, Dr Joël Dehasse

Ésotérisme, santé, spiritualité

L'astrologie pratique, Wofgang Reinicke
Dans l'œil du cyclone, Collectif
Le grand livre de la cartomancie, Gerhard von Lentner
Jeûner pour sa santé, Nicole Boudreau
Le nouveau livre des horoscopes chinois, Theodora Lau
Où habite le bon Dieu?, Marc Gellman et Thomas Hartman
La parole du silence, Laurence Freeman
* **Pour en finir avec l'hystérectomie,** Dr Vicki Hufnagel et Susan K. Golant
Le pouvoir de l'auto-hypnose, Stanley Fisher
Prodiges et mystères de la vie avant la naissance, Dr P. W. Nathanielz
Questions réponses sur la maladie d'Alzheimer, Dr Denis Gauvreau et Dr Marie Gendron
Questions réponses sur la ménopause, Ruth S. Jacobowitz
Questions réponses sur les matières grasses et le cholestérol, M. Brault-Dubuc et L. Caron-Lahaie
Renaître, Billy Graham
Sagesse amérindienne, Dhyani Ywahoo
Un mot dans le silence, un mot pour méditer, John Main
Le vol de l'oiseau migrateur, Joseph Campbell

Essais et documents

* **1759 La bataille du Canada,** Laurier L. LaPierre
* **L'administration et le développement coopératif,** Marcel Laflamme et André Roy
* **Les années Trudeau — La recherche d'une société juste,** T. S. Axworthy et P. E. Trudeau
* **Le Dragon d'eau,** R. F. Holland
* **Elle sera poète, elle aussi!** Liliane Blanc
* **Femmes et politique,** Yolande Cohen, Andrée Yanacopoulo et Nicole Brossard
* **Les femmes sont-elles allées trop loin?,** Francine Burnonville
* **Hans Selye ou la cathédrale du stress,** Andrée Yanacopoulo
* **Hiérarchie ethnique dans la grande entreprise,** Jean-Marie Rainville
* **L'histoire des femmes au Québec,** Le collectif Clio
* **Jacques Cartier - L'odyssée intime,** Georges Cartier
Jésus, p.d.g. de l'an 2000, Laurie Beth Jones
Les mythes à travers les âges, Joseph Campbell

Psychologie, vie affective, vie professionnelle, sexualité

L'accompagnement au soir de la vie, Andrée Gauvin et Roger Régnier
Adieu, Dr Howard M. Halpern
L'agressivité créatrice, Dr George R. Bach et Dr Herb Goldberg
Aimer, c'est choisir d'être heureux, Barry Neil Kaufman
Aimer son prochain comme soi-même, Joseph Murphy
Les âmes sœurs, Thomas Moore
L'amour lucide, Gay Hendricks et Kathlyn Hendricks
L'amour obession, Dr Susan Foward
Apprendre à vivre et à aimer, Léo Buscaglia
Arrête! tu m'exaspères — Protéger son territoire, Dr George Bach et Ronald Deutsch
L'art d'engager la conversation et de se faire des amis, Don Gabor
L'art de vivre heureux, Josef Kirschner
L'autosabotage, Michel Kuc
La beauté de Psyché, James Hillman
Le bonheur, c'est un choix, Barry Neil Kaufman
Le burnout, Collectif
Célibataire et heureux!, Vera Peiffer
Ces hommes qui ne communiquent pas, Steven Naifeh et Gregory White Smith
C'est pas la faute des mères!, Paula J. Caplan
Ces vérités vont changer votre vie, Joseph Murphy
Chocs toniques, Eric Allenbaugh
Choisir qui on aime, Howard M. Halpern
Les clés pour lâcher prise, Guy Finley
Comment acquérir assurance et audace, Jean Brun
Comment apprendre l'autodiscipline aux enfants, Thomas Gordon
Comment faire l'amour à la même personne pour le reste de votre vie, Dagmar O'Connor
Comment faire l'amour à une femme, Michael Morgenstern
Comment faire l'amour à un homme, Alexandra Penney
Comment faire l'amour ensemble, Alexandra Penney
Comment peut-on pardonner?, Robin Casarjian
Communication efficace, Linda Adams
Le courage de créer, Rollo May
Créez votre vie, Jean-François Decker
La culpabilité, Lewis Engel et Tom Ferguson
Le défi de l'amour, John Bradshaw
Dire oui à l'amour, Léo Buscaglia
Dominez les émotions qui vous détruisent, Dr Robert Langs
Dominez vos peurs, Vera Peiffer
La dynamique mentale, Christian H. Godefroy
Éloïse, poste restante, Loïse Lavallée
Les enfants dictateurs, Fred G. Gosman
Les enfants hyperactifs et lunatiques, Dr Guy Falardeau
Êtes-vous parano?, Ronald K. Siegel
L'éveil de votre puissance intérieure, Anthony Robins
* **Exit final — Pour une mort dans la dignité,** Derek Humphry
Focusing au centre de soi, Dr Eugene T. Gendling
La famille, John Bradshaw
* **La famille moderne et son avenir,** Lyn Richards
La fille de son père, Linda Schierse Leonard
La Gestalt, Erving et Miriam Polster
Le grand voyage, Tom Harpur
L'héritage spirituel d'une enfance difficile, Josef Kirschner
L'influence de la couleur, Betty Wood
Je ne peux pas m'arrêter de pleurer, John D. Martin et Frank D. Ferris
Lâcher prise, Guy Finley
Leaders efficaces, Thomas Gordon
* **Les manipulateurs,** E. L. Shostrom et D. Montgomery
Messieurs, que seriez-vous sans nous?, C. Benard et E. Schlaffer
Mieux vivre avec nos adolescents, Richard Cloutier
Le miracle de votre esprit, Dr Joseph Murphy
Née pour se taire, Dana Crowley Jack
Ni ange ni démon, Stephen Wolinsky
Nouvelles relations entre hommes et femmes, Herb Goldberg
Option vérité, Will Schutz
L'oracle de votre subconscient, Dr Joseph Murphy

Parents au pouvoir, John Rosemond
Parlez pour qu'on vous écoute, Michèle Brien
Paroles de jeunes, Barry Neil Kaufman
La passion de grandir, Muriel et John James
Pensées pour lâcher prise, Guy Finley
* **La personnalité,** Léo Buscaglia
Peter Pan grandit, Dr Dan Kiley
Le pouvoir créateur de la colère, Harriet Goldhor Lerner
Le pouvoir de la motivation intérieure, Shad Helmstetter
La puissance de la pensée positive, Norman Vincent Peale
La puissance de votre subconscient, Dr Joseph Murphy
* **Quand l'amour ne va plus,** Ann Jones et Susan Schechter
Quand on peut on veut, Lynne Bernfield
Questions réponses sur le plaisir sexuel de la femme, D. Brouillette et M. C. Courchesne
* **La rage au cœur,** Martine Langelier
Rebelles, de mère en fille, Linda Schierse Leonard
Réfléchissez et devenez riche, Napoleon Hill
Retrouver l'enfant en soi, John Bradshaw
S'affirmer — Savoir prendre sa place, R. E. Alberti et M. L. Emmons
S'affranchir de la honte, John Bradshaw
S'aimer ou le défi des relations humaines, Léo Buscaglia
S'aimer sans se fuir, Roy F. Baumeister
Savoir quand quitter, Jack Barranger
Les secrets de la communication, Richard Bandler et John Grinder
Se faire obéir des enfants sans frapper et sans crier, B. Unell et J. Wyckoff
Seuls ensemble, Dan Kiley
La sexualité des jeunes, Dr Guy Falardeau
Le succès par la pensée constructive, Napoleon Hill
La survie du couple, John Wright
Triomphez de vous-même et des autres, Dr Joseph Murphy
* **Un homme au dessert,** Sonya Friedman
* **Uniques au monde!,** Jeanette Biondi
Vivre à deux aujourd'hui, Collectif sous la direction de Roger Tessier
Vivre avec passion, David Gershon et Gail Straub
Les voies de l'émerveillement, Guy Finley
Votre corps vous parle, écoutez-le, Henry G. Tietze
Vouloir vivre, Andrée Gauvin et Roger Régnier
Vous êtes vraiment trop bonne..., Claudia Bepko et Jo-Ann Krestan

---

* Pour l'Amérique du Nord seulement.
(96/05/09)

imprimerie gagné ltée

IMPRIMÉ AU CANADA